サハラの旅
1974

（小町グループ）
菊岡　　健
清田　浩義
堀内　正樹
著

東京図書出版

サハラの旅　1974

サハラ砂漠にて。（アルジェリア　エルゴレア）

はじめに

本書は、２０１２年に亡くなった斎藤莞爾氏＝サンタさんのために編纂された。サハラを、そしてアフリカを、共に旅した仲間が、サンタさんと過ごした日々の記録をまとめ、再構成したものである。

サンタさんは、世界を旅し、旅に暮らす男だった。

本書は、４人の日本人青年による、サハラ砂漠縦断とアフリカ横断の旅行記であるが、サンタさんはその４人組の重要なメンバーだった。

彼がいなかったら、この「旅」は実行されなかった。

サンタさん・バストマン・健さん・クマさんの４人は、日本の20代・30代の若者。彼らは１台の

▲サハラ砂漠の道。ラクダのキャラバンが通り過ぎる。

ワゴン車に乗り、アフリカの道なき道を駆け抜けた。１９７４年のことであった。

当時、サハラ砂漠を縦断する舗装路はなかった。大型トラックが物資を運ぶために走っており、未舗装のでこぼこ道はあったが、それは、普通の車がらくに走れる道ではなかった。さらに、干上がった涸れ川が多く存在し、そこに橋はなかった。彼らが直面したのは、砂に苦しめられる悪路である。

そして、サハラ砂漠の先にあるのは、アフリカのジャングル。赤道が近い熱帯雨林帯で、未舗装の細い道が続くことが予想された。

十分な準備期間がなく、いきなり挑戦するには、かなり思いきった旅であった。

▲セントラルアフリカのバンギにて。右からサンタさん、健さん、バストマン、クマさん。

▲サハラの「エルグ」と呼ばれる砂砂漠。

▲サハラ砂漠、北回帰線上にて。右の自動車が、彼らの赤坂小町号。

サハラ砂漠を縦断し、アフリカ中央部を横断！

彼らの走破したルートは、左の地図の赤い線である。

アフリカ北部のモロッコ・アルジェリアから南へ向かいサハラ砂漠を縦断し、ニジェールを通り、西アフリカのナイジェリアに抜ける。そこからは東に進路を取り、カメルーン、セントラルアフリカ、ザイール（現コンゴ民主共和国）、ルワンダ、ウガンダを経て、東アフリカのケニアへ。全長約13000キロ。

このルートは、ヨーロッパの冒険好きの若者が利用していたルートであるが、日本の普通の若者による車での挑戦の例は少なく、事前の情報はとぼしかった。

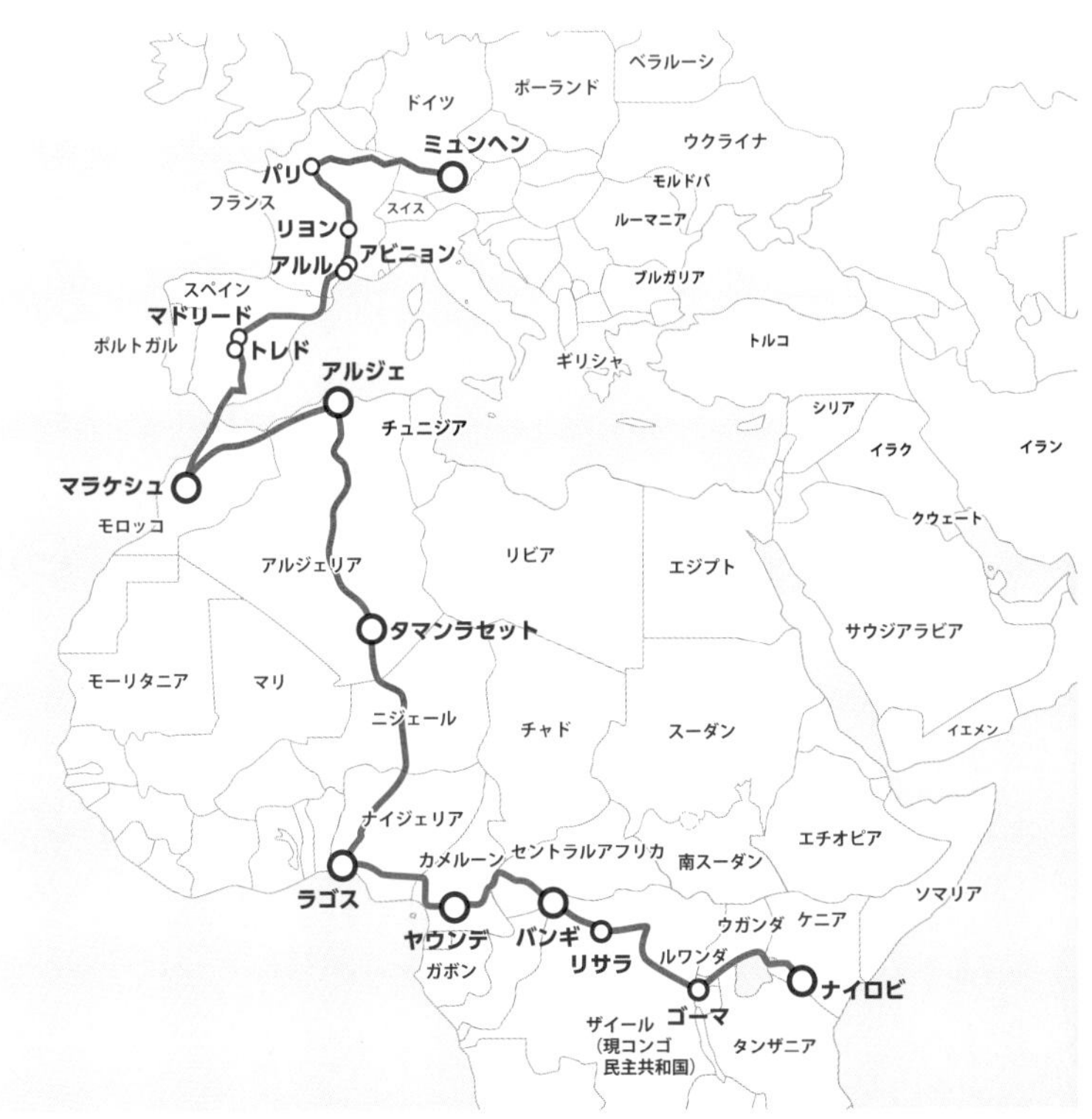

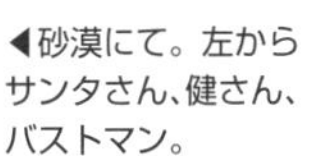
◀砂漠にて。左から
サンタさん、健さん、
バストマン。

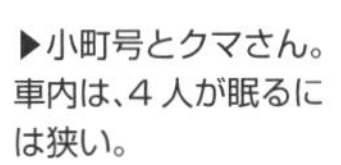
▶小町号とクマさん。
車内は、4 人が眠るに
は狭い。

砂漠の道

▲２点とも、サハラ砂漠。アルジェリアのインサーラ〜タマンラセット間。

ジャングルの道

▲ザイールの道

砂漠の道とジャングルの道

彼らの旅程の半分以上は、舗装されていない道だった。

旅の前半は、砂漠の道。右の2点の写真がその様子であるが、砂が踏み固められただけの道である。どこからどこまでが道の幅なのか分からないので、運転者は、車のタイヤの跡を頼りにして走ることになる。

旅の後半は、ジャングルの道。こちらは、砂ではなく粘土質。上の写真はその一例。雨が降れば、ぬかるんでしまう。

そして、写真のどの道も、ミシュランの地図に太く書かれたメインロードなのだ。

サンタさん→

クマさん↓

健さん
↓
バストマン
↓

彼らの時代

4人の旅が行われたのは、1974年。日本が経済面での急成長を果たし、生活面でも「3C（カー、クーラー、カラーテレビ）」が急速に普及し、人々は豊かさを感じ始めている時代であった。

日本で一般人の海外旅行が解禁されたのは、1964年。それまで自由に海外に出られなかった日本人は、大挙して海外に押しかけ、1970年代には、海外旅行は大きなブームとなっていた。そして、若者たちは、単なる観光旅行ではない長期間の自由な旅に出かけるようになっていた。本書の4人はまさしく、そういう若者だった

本書の構成について。主な文章は、旅の直後に健さんの書いた「アフリカ紀行」とし、そこに、バストマンとクマさんの当時の日記の記述を加え、さらに、状況説明の文を新たに加えた。なお、バストマンとクマさんの文章には名前を付記したので、名前のない文章は、健さんの「アフリカ紀行」だと理解していただきたい。そして、「はじめに」「状況説明」「おわりに」「編集後記」を担当したのはコウジ（立原滉二）。コウジはクマさんの友人で、同じ気球グループに所属していた。コウジは当時ケニアで4人に会っている。気球仲間と共に、熱気球を飛ばすためにケニアを訪れていたのだ。

◆目 次◆

子供たち

▲カメルーンにて。明るく元気！

▲アルジェリアで出会った少女たち。

▲ザイールの子供たち。興味深く見つめる目が輝いている。

第1章　出会い

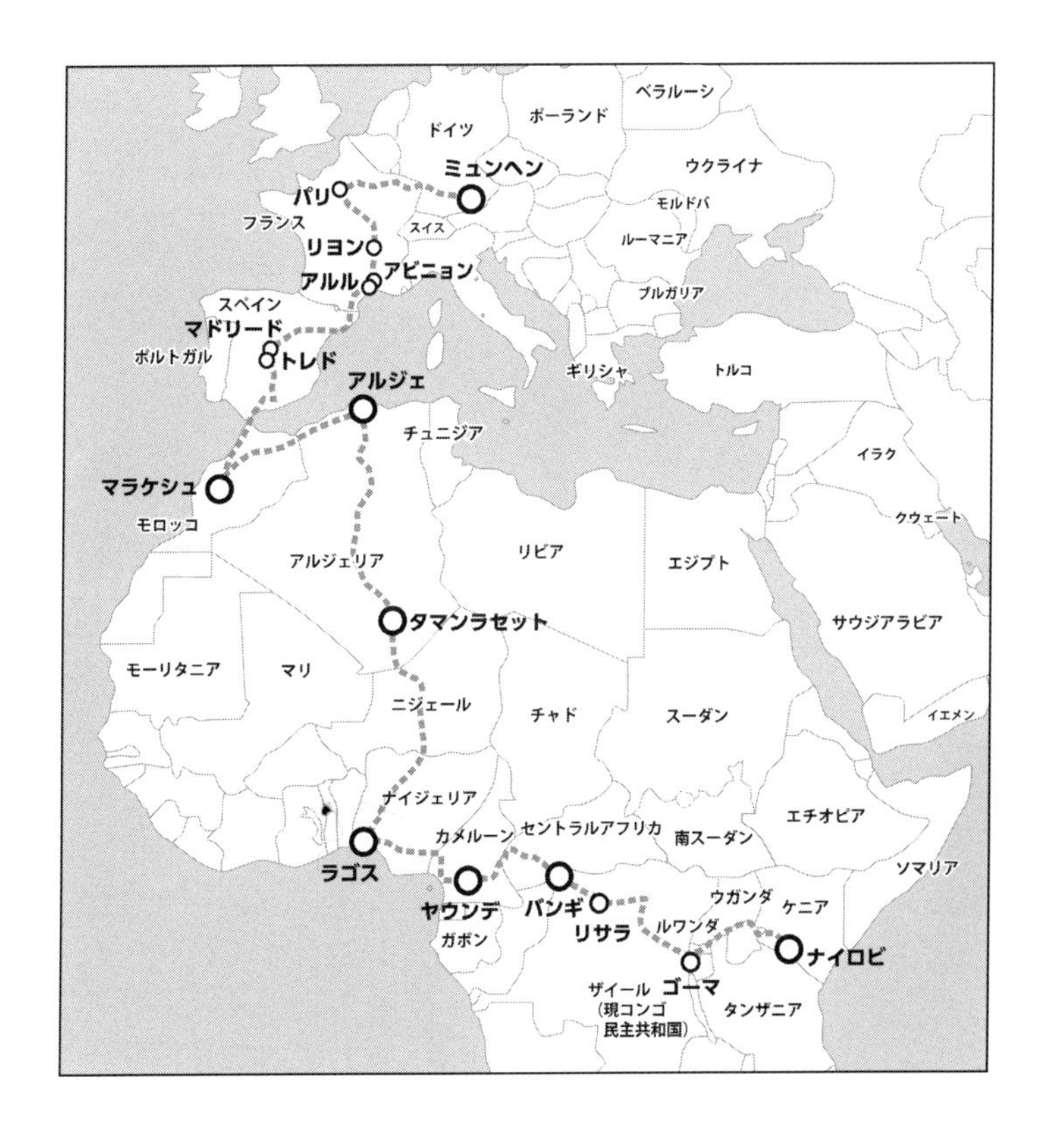

ベラルーシ
ポーランド
ドイツ
ミュンヘン
ウクライナ
パリ
モルドバ
フランス
スイス
リヨン
ルーマニア
アビニョン
アルル
ブルガリア
スペイン
マドリード
ポルトガル
トレド
ギリシャ
トルコ
アルジェ
チュニジア
イラク
マラケシュ
モロッコ
クウェート
アルジェリア
リビア
エジプト
タマンラセット
サウジアラビア
モーリタニア
マリ
ニジェール
チャド
スーダン
イエメン
ナイジェリア
エチオピア
ラゴス
カメルーン
セントラルアフリカ
南スーダン
ソマリア
ヤウンデ
バンギ
ウガンダ
ケニア
ガボン
リサラ
ルワンダ
ナイロビ
ザイール
(現コンゴ
民主共和国)
ゴーマ
タンザニア

天啓

食卓に料理が出されると旨そうなものから食べる傾向性を、僕は持っている。今回もその例にもれない。サハラはアフリカのうな丼である。とはいうものの、何よりも先に、僕は愛すべき仲間とのミュンヘンでの出会いについて書かねばならない

出会いの一週間前、僕は南ドイツ・バイエルン地方の豊かな田園地帯をゆっくり気ままにペダルを踏んでいた。

周り一面は小麦畑だ。取り入れには少々早いが、粒のそろった穂は、光の粒子を存分に吸い込んだ艶やかな色合いで、豊穣を約束している。

適当に疲れを感じる。道路脇にビアホールがある。一杯だけ飲んでいこう。ビールの美味しいこと！　五臓六腑に染みわたる前に、頭のてっぺんから気化していくようだ。そばかすいっぱいのウェイトレスが、にこやかに「もう一杯？」。幸いなことに、この申し出を拒み得るほど僕の意思は強靭ではない。てなわけで、千鳥足ならぬ、千鳥ペダルはバイエルン。遥かに見えるは教会か……。

日差しも適当。道路はいたってなだらか。道路を走る車数も適当。汗をかいても、心地

よい微風が速やかに拭ってくれる。さわやかさわやか。要するにバイエルンは、適当ずくめ。

今にして思えば、この適当ずくめなるものが曲者だったのだ。僕は、なぜか徐々に憂鬱になり始め、ミュンヘンに着いた頃には、飽和点に達していた。

そんな時、僕は仲間たちと出会った。1974年9月14日。ためらわずに言おう。この出会いは天啓だ。

インドネシア料理店

その日の夕方のことだ。僕は、ユースホステル内にあるラウンジの長椅子に腰かけ、所在なくタバコをふかしていた。と、バストマンがニコニコしながらやってきて、僕に話しかけた。率直な人間だと思った。

しばらくして、サンタさんが入ってきた。第一声がこれだった。

「近くにインドネシア料理店があるから、一緒に行こう」

直感的に、かなり変わっている人だなと思った。

僕らは自転車野郎のクマさんも誘った。

30分後、僕らはテーブルを囲んで、インドネシア料理なるものを食ったり、飲んだりしていた。と、僕は、お皿の隅っこにちょこんと盛ってある赤っぽいからしの固まりみたいなのを、スプーンですくって口に入れた。感激のあまり、目から火が出た。確かにそれはカラシだった。しかもそれは、筋金入りのカラシだったのだ。ワサビなんかの比ではない。ひと言言ってくれればよかったのにと、サンタ氏を恨むことしきり。

サウジアラビアをひとくさり語った後、実感を込めてバストマンは言ったたっけ。

「アフリカに行きたいねえ」

僕らの心に、ポッと火が点された。大いなる憧憬と迷いのため、その晩はなかなか眠りにつけなかった。ともあれ、ホットな晩餐ではあったことよ。

僕らの迷いをバッサリと断ち切ってくれたのは、サンタさんだった。翌朝、リュックを背負い、今にも出発という出で立ちでユースにやって来たのだ。サイは投げられた、とその時僕らは感じる。よし！　行こう。

後日聞いた彼の話によれば、この時は出発の出で立ちではなく、居候先の友人宅から、汚れた下着をリュックに詰め、ユースに洗濯に来たのだった。運命とはこのようにして創られるものなのか……てな調子で書いていけば、いっかなうな丼にありつけそうもないので、スピードアップ。

仲間たち

斎藤莞爾氏（サンタさん）は32歳。造船技師から心機一転して、プロの旅人へ。ヨーロッパ放浪暦3年。三方十界に宿無し男なり。

彼は言う。「日本へは立ち寄るかもしれないが、帰る気持ちなし。なぜなら日本は俺には合わない」。残りの半生を、世界隈なく歩き廻ることに彼は賭ける。

彼は、なりは小さいが、何やら死線を越えた葉隠れ武士を彷彿とさせるところがある。タイプとしての日本人のカテゴリーから、かなり逸脱したところもある。

環境世界のゴテゴテの一切をふっ切り、我が道を行かんとする高邁なる意思を、彼の矜持に満ちた眼差しと、さっぱりとした言葉遣いとに感じることができる。とまれ、僕よりは強く広い自意識の地平を持っている。

堀内正樹氏（バストマン）。高校時代に映画『アラビアのロレンス』を観て、彼は砂漠に魅せられた。東京外国語大学のアラビア語科へ。アラビア政府が日本に国内地図の製作を依頼した際、彼はガイドとして8ヶ月間サウジへ。「近い将来、アラビア半島の地図上のどこかに、マサキ山、マサキ河なるものを見つけることができるだろう」と、彼は子供っぽく笑う。

未だにサウジの奥地には、旅人は足を踏み入れることができない。いわば聖域である。そこで何が起ころうと、日本へは伝わらない。彼はそのような所にいたのだ。

サウジのドライな風土と人間の間で、彼の性格もドライなものとなっていったに違いない。彼の言葉には、曖昧なところがない。是か非か、真か偽か、まさにコーランか剣か、である。

彼が、なぜか、自らをバストマンと名のり始めたのは、サハラを移動中の頃だ。食事の前後に、気分が乗ると、僕らは運動をかねて、よく〝大見得ごっこ〟をした。この〝大見得ごっこ〟とは多くの場合、「ジャジャジャジャーン」で始まり、次に適当な自己宣伝をした後、車の回りを一人で走ったり、追ったり追われたり。日本国内でやったら確実に危ない人と思われる、そんな遊びではあった。しかし、大いなるサハラが背景ともなれば、摩訶不思議。遊びとは思えないほどの緊迫感があるのだ。その時、彼は腕を振り振り、両手を胸にやり、言ってのけた。「アフリカの流れ星、バーストマン」。思いは遥か、サウジで観たベリーダンス、バストの素敵なかわい子ちゃんが忘れられないのだろう……というのは、僕の想像。

清田浩義氏（クマさん）。僕らの中では22歳と最も若い。にもかかわらず、何事にも熟慮。用意周到なる計画性を重んずる彼は、彼らのグループが2年がかりで完成させた熱気球〝風まかせ号〟のことを僕らに淡々と話し、降ってわいたような僕らのこの計画に、ただ一人難色を示した。そして、出会いから3日目の朝、北に去って行った。

しかし、彼とても、運命のインドネシア料理店で、禁断の木の実を食ってしまったのだ。その晩、再び僕らは彼を得ることになる。聞けば彼氏、アウクスブルグまでは行ったものの、激しく彼の心を打ち続ける「ア・フ・リ・カ」の4文字を打ち消すこと能わず、ついに参加を決意。再びミュンヘンまで60キロの道のりを、ノンストップで自転車のペダルを回し続けたとのこと。

クマさんがミュンヘンに戻る途中、行きしなに出会った道路工事のおっさんが、彼をビックリさせる。両手を上げ何やら怒鳴っているのだ。クマさん、彼が何を怒鳴ったのか、理解するのに、10分間ほどかかったそうな。彼は、こう叫んだのだ。「バンザイ！」（日本製の戦争映画観たんだよ）。

僕とバストマンが、準備のための一日を終えてキャンプサイトに帰り、テントを開ける。その中にクマさんを見出す。

今度は僕らが「バンザイ！」

ちなみに彼が「クマ」なる所以は､毛むくじゃらの彼の顔がクマに似ているからであり、彼の気性の故では断じてない。

赤坂小町号。ＶＷ（フォルクスワーゲン）コンビ・１９６９年型。ケニアのナイロビに"赤坂"って日本料理店があるそうな。

「何とかそこまでたどり着き、日本酒で乾杯」ってのが、僕らの合い言葉になった。てなわけで、車の名前を紅一点、「赤坂小町」と命名。

身請け料40万円。少々高かったが、メカに弱い僕らとしては、幾分ましなのが欲しかったわけ。走行距離10万キロと年増だが、他の車はもっと年増。グレーに統一されている落ち着いた車体。キャンピング用に改造されている車内が僕らの興を誘った。

選びに選んだ末、彼女を採ったのだから、この小町ちゃんもクルマ冥利に尽きるというものよ。

菊岡健氏。取り立てて述べるほどの男でなし。何事につけ､ガツガツしているのが難点。なかんずく、食欲において！

《以下は、クマさんによる、健さんの紹介》

何かにつけ「形あるものは必ず壊れる」と言い、諸行無常を旨とする名古屋なまりの優男（やさおとこ）。大学で哲学を勉強していたせいか、私にとっては、なんてことない日常の出来事が、何か〝深い意味〟をもった出来事になってしまう。関東人の私にとっては、面倒くさくて、まどろっこしい限りだ！

状況の説明①　4人の若者

ここでこの4人のことをもう少し補足しておこう。

サンタさんは、小柄で飄々とした印象で、不思議な存在感を持ち、日本人の枠をはるかに越えていた。前述のように、彼は、旅に出て3年目。ヨーロッパで旅をしながら暮らしていた。夏は涼しい北欧に行き、冬は暖かい南欧に行き。まさに、「プロの旅人」である。

では、彼は、お金はどうしていたのか？　実家がよっぽどの金持ちなのか？

答えは「ノー」。彼は、旅をしながらお金を稼いでいた。仕事は「結鉄師」。結鉄師とは、針金を曲げたり伸ばしたりして様々な造形を作る細工師のことで、彼は、自転車や動物のフィギュアやアクセサリーを作って、路上で売っていたのである。

ヨーロッパの繁華街で、日本人が針金細工をして売っていることは、日本国内のニュースにもなっていたが、彼はその一人だったのである。

そのニックネームだが、サンタクロースの「サンタ」ではない。彼はインドネシア料理店で3人から名前を聞かれて、「三太郎」と答えた。「三太郎」とは、江戸時代から関東で使われている言葉で、「お馬鹿な人」の意味。彼は自分を謙遜して、「名乗るほどのものじゃない、ただのつまらない男だよ」という意味で言ったのだ。従って、漢字で書くと「三太」ということになる。江戸っ子的な粋の気質が身についていたのかもしれない。


バストマンは、この旅の元々の発案者である。ミュンヘンで3人に出会った時、彼はすでに11ヶ月間、日本を離れている状態だった。はじめの8ヶ月は、サウジアラビアでの地図作成の仕事で、最後の3ヶ月は、中東・東アフリカを一人で旅行していた。主にヒッチハイクで移動する貧乏旅で、その長旅の最後の日々をヨーロッパで過ごしていたのである。このバストマンも年齢はクマさんと同じく当時22才。若さと経験を兼ね備えた人物である。

そして、このニックネームの由来も面白い。健さんの想像とは異なり、本人によ

れば、あの時は「バーストマン」と叫んだとのこと。タイヤが「バースト」すると
いうのは、爆発するように破裂することだが、同じように彼は自分を「爆発する男」
「燃える男」と言いたかったのだ。だから「バストマン」というのは本人にとって
は甚だ心外な呼ばれ方だったようである。

さらに、もう一つのニックネームが、この旅行中に彼に付けられている。それは
「屁太郎（へたろう）」。彼は直前の旅行でスーダンに行ったときにアメーバ赤痢にかかり、それ
以来、おならが止まらなくなっていた。狭い車内で暮らす彼らにとって、これは、
かなりきついことであり、より切実なニックネームである。

健さんは、大学で哲学を学び、物事の理屈を考えるのが得意。大学時代の趣味は、
スーパーカブ（50 ccのバイク）にテントと寝袋を積んでのキャンプ。遊びすぎで1
年留年。5年前に大学を卒業し、一度は社会人となったが、日本国内での視野の狭
さを感じ、広い世界へ飛び出す。クマさんと同様に、自転車でヨーロッパを周遊中
であった。彼のニックネームは「健さん」で、これは、映画俳優の「高倉健」にち
なむ。実は、彼の実家は和菓子店で、名古屋の高蔵町にあった。「高蔵の健」である。
このような理由で、彼のニックネームは「健さん」となった。

クマさんは、大学3年生の自転車野郎。日本の全県を自転車で旅し、ヨーロッパの道を走り始めてちょうど20日目だった。彼は、大学で熱気球のグループに所属し、日本で4番目の自作気球作成に参加。現状に満足しない強い意思と、仲間思いの優しさを兼ね備えた青年だった。そのニックネームは、彼のヒゲにちなんだものだが、獰猛な熊ではなく、優しい目の「クマさん」である。

この4人は偶然知り合っただけの見ず知らず同士の即席グループではあったが、結果的にそれぞれの持ち味が、旅の過程で上手く機能していったようだ。

サンタさんの強みは、旅を愛する心の強さと決断力。そして長いヨーロッパ生活で身につけた英語・ドイツ語・フランス語・スペイン語などを臨機応変に駆使し、どこでも意思を通じさせることのできる実践的な言語能力。さらに、だれよりも強烈な交渉力。道中で出会ったヨーロッパ人たちから「Little Giant（小さな巨人）」と舌を巻かれることもあったそうだ。ちなみに、彼は車の運転はしなかった。国際免許を持っていなかったからだ。

バストマンのアドバンテージは、アラブ世界・アフリカに対する豊富な知識と経験。彼はすでに3年前の19歳の時にも、半年間、中東やインドを放浪していたのだ。

そして、アラビア語。北アフリカでは、アラビア語が共通語であった。彼のアラビア語は、全員にとって非常に心強い武器であった。そして、彼は食べることが好きで、調理を担当することも多かった。

健さんは、ノリの良さをもったイケメンで長身。アフリカでも女性にもてたようだ。彼のイチオシは奔放さと軽快さ。その辺は、これからたっぷり読んでいただくことに。

クマさんは、4人の中ではいちばん若く、高校時代はサッカー選手で体力もあった。そして、健さんも書いているように、冷静。冷たいのではなく、落ち着いている。相手の話をしっかり聞くタイプだ。だから彼は最年少にもかかわらず、放っておけばどこへ飛んで行くかわからない3つの気ままな気球ならぬ風船を、最終的に束ねる要石になった。お金の管理も彼の担当になった。そして、車のメカにも一番強かった。

サンタさんとバストマンの、ミュンヘンまでの経緯は、ここに書いてきた。また、健さんの心の内も本人が述べた通り。そして、クマさんも、この1ヶ月ほどのヨーロッパの旅で、物足りないものを感じ始めていた。クマさんの日記の一部を見てみよう。彼らの出会う6日前の日記である。

《クマさんの日記より／9月8日》（日本発20日後／ザルツブルグにて）

ここでも感じるのだが、上手く行き過ぎている町づくり……これはひがみかな……日本が上手くゆかなすぎかもしれない。（中略）ヨーロッパ農業のパターンは、一つの完成された形だろう。とにかく豊かそうだ。

クマさんの言葉の中にも、健さんの感覚とよく似た、ヨーロッパ世界に対する疲れのようのものが存在している。自転車でオーストリアとドイツの道を走る中で見た、ヨーロッパの完成された姿。完成されすぎているために感じた疲労感。未知の世界を自分の目で見たいという、旅への思いは満たされていなかったようである。

しかし、クマさんは、他の3人とは異なり、一度はサハラの夢をあきらめた。その時、彼は、アフリカの魅力と戦っていた。日本の祖母からは出発前に、「南には行くな」と言われていた。それに、自転車で旅に出たのに、自動車での旅に替えるというのは堕落ではないのか？　また、アフリカに行ったら、いつ日本に帰れるか分からない。4月からは新学期が始まるのに。さらに、お金も尽きてしまう。

簡単に決められるものではない。
再びクマさんの日記を見てみよう。

《クマさんの日記／9月25日》

アフリカ↔ヨーロッパ、どちらにも学び取る物があるだろうが、俺にはアフリカの方が魅力だ。とにかく肌で感じたい。

現在の所持金　￥１４６、８００

彼らは、素早かった。9月14日の出会いから13日後、２週間弱で、サハラ砂漠を走りきるための車を選び、購入し、書類手続きを済ませ、装備を調え、情報を入手し、出発したのである。

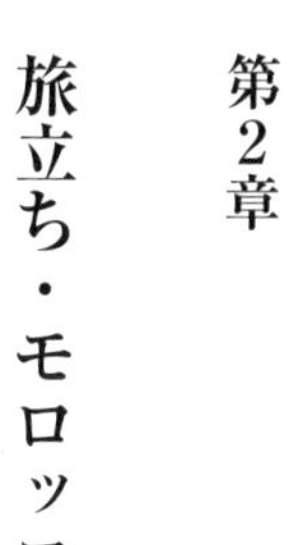

第2章
旅立ち・モロッコ

▲マラケシュのバザールにて
買い物をするバストマン。

さよなら、ヨーロッパ

9月27日
準備完了。ミュンヘンを出発。

9月29日
夕刻、パリ着。パリでの数日はあちこちのアフリカ大使館でのビザ取り、及び情報集めをすることになる。どんよりとうすら寒い日が続く。何？　ルーブルに行ったかって？　ノン。心はもはやアフリカである。

10月4日《バストマン》
パリ発。リヨン（Lyon）経由。山の中で寝る。

同日《クマさん》
高速道路を400キロほど走ってリヨンに入る。パリを出ると少々の起伏を帯びた平野である。電柱もあまりない。牧草地に牛たちがのんびり草を食む。天気もまずまずだ。赤坂小町号は高速道路を時速60キロのゆっくりしたスピードで、他車に抜かれながら走ってゆく。

10月5日《クマさん》

霧で視界の悪い道をアビニョン（Avignon）に向けて走る道すがら、広々とした牧場の景色を見ることができた。昨日もそうだったが、とにかくフランスの耕地はとても広い。農家一戸当たりの作地面積は日本の何十倍にも上るだろう。（中略）南に向かうにつれて、次第に太陽は明るくなってくるようだ。道ばたに、わらのつばの広い帽子（スペイン的な）を売る店が目立つ。

10月6日《バストマン》

アビニョンで洗濯をして出発。アルル（Arles）で闘牛場を回って、南仏の田園の中をセート(Sete)という港町に着く。久しぶりに海の香が漂う。牡蠣を売っていたので、買って食った。南仏はやはりそののどかさが心をひきつける。ゆっくり回ってみたい所だ。夜、セートで買ったアサリをみそ汁にして卵をかけた米を食う。うまい。サンタさん・クマさんは風邪でダウン。小生も少々ノドが痛い。

10月7日

ピレネー山脈を越えたあたりから、急に周囲が明るくなり、空気が乾燥してくる。

10月9日
マドリード着。ビザ取り、予防接種。パリではあまりに物価が高すぎて、碌なものを食わなかった。その反動もあったのだろう。ここマドリードでは、よくレストランで食事をした。

①ポタージュスープ　②野菜サラダ　③貝と鶏肉の入った焼き飯
④羊肉のシチュー　⑤生クリーム（デザート）⑥ビール1本とパン

これだけでいくらだったと思う？　たった600円！　ちなみに僕らがよく行ったサンタさん御用達のレストランの名は『奇跡の家』。物価の安さがサイフの紐を緩ませ、結果的に結構金を使う。

10月11日《バストマン》
フォルクスワーゲンの工場でオイルチェンジ。アルジェリアのビザを取得。夕飯にマグロの刺身を食う。本日は日本出国1周年記念なり。

同日《クマさん》
マドリに入ってから3日が経った。4人が一台の車の中で生活するのは、かなり窮屈で疲れる。これから先、今より過酷な状態の中でどこまで持つものか……。（中略）今、車の中には、ぼくと斎藤さんがいる。ラジオではFM放送が流れ……。

10月12日《クマさん》

午後4時30～6時／闘牛　午後11時30分／フラメンコ

10月14日《クマさん》

午後マドリード発↓トレド（70キロ）。昼下がりのトレドは意外によかった。町の印象がアラブ風な感じ。大聖堂を見る。

10月17日《クマさん》

明日は、ジブラルタル海峡を渡り――アフリカだ！

検問

10月18日

容易に入国できると思っていたモロッコの国境検問所で、ストップをかけられる。理由を聞いても答えてくれない。首都ラバト（Rabat）の日本大使館に電話。そちらでも、理由はわからないという。

再度検問所に押しかけ、昼寝（?）から帰ってきた所長と長い長い談判。一人ひとり個室に呼び入れられ、厳重なるボディチェック。小町ちゃんも哀れなことに、シートを剥がされた！　エンジン内部を覗かれるなど、多大な辱めを受けた後、やっとのことで通りゃんせとなった。腹立たしい限りだ。行きずりの日本人旅行者2名を近くの町まで同乗させて、マラケシュ（Marrakech）に向かう。

ラバトの手前15キロにケニトラ（Kenitra）という町がある。ここでまた検問にひっかかった。僕らに警察本部まで来いという。バストマン曰く、「サウジでもよくこんなことがあったよ。要するに彼らは退屈でしょうがないんだ。僕らに興味があるんだろう。お茶でもご馳走になって行こう」。

彼の言葉は、いつもながらかなり信憑性を保持していたので、僕らもそんな気になってきた。結果、1時間のつもりが、5日間の軟禁になろうとは――。

10月21日
日本大使館に電話をさせてもらえず、僕らは孤立無援の状態。タバコを買いに行くのにも監視人と同伴でときた。食事は出されるだろうって？　甘いよ。食料を持ち込んで、いわば屋内でのキャンプ生活。僕らの寝場所となったのは、取り調べ室の隣の待合室。

朝9時半近くに起きる。まずはコーヒーを沸かし、デスクに座っている、幾分かは親切そうなポリさんにも一杯あげる。彼氏、喜んでまずは忠告をひとたれ。

「ここの人間は単純で怒りっぽいから、つっかからない方がいい」だとさ。

確かにこの2日間、ここの取り調べ室に連れて来られたり、自らやって来たりする連中を見ていると、親子喧嘩や仲間喧嘩が多く、ここは要するに仲裁所。部屋の中で喧嘩の続きをするので、夜など喧しくて眠れない。

現在、午後9時45分。50時間以上、軟禁状態が続いている。今日も一日、トランプでブリッジ三昧。明日はどうなることだろう――すると、夜の蝶の一連隊がポリさんに検挙されて来た。哀れ今夜はブタ箱か。いい娘たちに見えるけどなあ。

10月22日

バストマンが、自称正統派なるカイロ方言にて問うて曰く、

「なんで、わてらを捕えたんや？」

幾分親切なポリさん曰く、

「ラバトでこの月いっぱいアラブ首脳会議をやってるぞなもし。あんたら、サウジのファイサル国王を殺そうちうアラブゲリラと違うんかいな?」

これで謎が解けた。

この日、日本青年が9名連行されて来る。しかし、彼らは数時間後に解放される。彼らに日本大使館への連絡を頼む。

10月23日
軟禁5日目ともなると、愛と理性をもってなる我らが赤坂小町一族の堪忍袋の緒もついに切れ、武装蜂起とまではいかないまでも、ここの所長の使っている机の引き出しの中に、内緒でゴキブリ100匹とガラガラヘビとどぶねずみの死骸とを叩き込んでおき、威張りくさったヤツの驚愕する顔が見たいと願うようになってきた。

そんな時だ。なぜか僕らのパスポートを返しにポリがやって来た。はい、そうですかと、おとなしく出ていけるかってんだ。とにかくパスポートを突っ返し、俺らは相談する。

「5日間の屈辱に対する賠償要求だ!」

「しかし、俺は結構オモロかったけどなあ」

「バカ言え」

「というと、金を要求するわけか?」

「そうだなあ。一人一日1万円として5日で5万。しめて20万円てとこかな。少ないかなあ」

「しかし、拒否されるぞ」

「これは、基本的人権を侵された我々のモロッコ王国に対する提訴だよ。ユネスコ憲章が俺たちの味方だ。ここの所長をぶっ潰してやるぞ」

「どうせもらうならドル払いがいいな」

てなことを話し合っている時に所長が来て曰く、

「おまえら、すぐ出て行くか、さもなくば牢屋に入るか、二つに一つだ」

こうなるとサンタさんの独壇場だ。

「飛んで火に入る夏の虫とは、おまえのこった。俺は牢屋に入るから、3人で国王に掛け合って来いよ」

かくなる睨み合いは1時間も続いただろうか。警官が一人、所長の隣にやって来て耳打ちをする。口の動かし方を見ていた勘のいいバストマンが僕らに告げる。

「日本の大使館員が来たゾ」

そうだったのか。サンタさんの頭はいよいよサエてくる。

「ケンさん、今から重病人になってくれ。俺たちは大使館員に会ってくる」

てなわけで、僕らの中でいちばん病的な顔をしている僕は、毛布にくるまり、息も絶え絶えというスタイルでぶつぶつ。なれど、この時、頭の中は賠償金のことでいっぱいだったので、実際のところ、ため息まじりのぶつぶつではあったのだ。

大使館員がオロオロ顔で僕のところへやって来た。彼は僕に問う。「大丈夫ですか?」。僕はかぼそい声で答える。「大丈夫じゃないです」。この時、ぼくは笑い出したくなるのを、毛布で必死に口を押さえ、真っ赤になってこらえてたっけ。

サンタさん、大使館員の打ち沈んだ様子に毒気を抜かれたらしい。と同時に、日本国のモロッコ王国における影響力の皆無に等しきを直感したらしい。

しょうがない、僕らも賠償金は諦めた。が、仮病のかいあって、僕らはミュンヘン出発以来、初めてホテルで寝ることができた。出資元は大使館員のポケットマネー。

その夜は、馬肉を5kg買ってきて出所祝い。この肉、固かったなあ。マドリードで買った安ブランデーも開ける。いい気分だ。

僕はクマさんに問う、「ナイロビと掛けて何と解く?」。

彼氏、「下痢した時のトイレまでの道と解く。その心は、長く苦しい」

同感!

状況の説明②　日本赤軍

ヨーロッパに別れを告げ、アフリカ大陸に足を踏み入れた途端に、4人は、とんでもない待遇を受けることになった。彼らは、国を脅かす危険人物になってしまったのだ。その原因は、「日本赤軍」である。4人は、当時、中東世界で存在感を強めていた日本の左翼集団の赤軍派の一味ではないかと、疑われたのであった。

「日本赤軍」とは何か？　1972年のイスラエルのテルアビブ空港乱射事件では、アラブの過激派に日本の赤軍派も加わっていた。レバノンに軍事訓練基地を持ち、1980年代まで、ハイジャック事件などを起こしていた。彼らは「日本赤軍」と呼ばれ、中東の一部の国や民衆のあいだでは英雄扱いを受けていた。しかし、西欧寄りの政策をとる国にとっては、非常に危険な存在であった。

一方、モロッコは、アフリカの北西にある、元フランスの植民地の国である。地中海と大西洋に面しており、宗教はイスラム教で、文化的にはアラブ社会の一員である。またフランスとの関係も深く、アラブ世界の中では、西洋化が進んでいた。当時のモロッコにとって、アラブの過激派とのつながりのある日本赤軍は、最も危険な存在であり、最も危険な日本人であった。

そして、小町号がモロッコに入国しようとしたときは、ちょうど、日本赤軍の動きが報告されていて、国際会議の開催を間近に控えたモロッコ政府は、警戒を特に強めているタイミングであった。そこに、４人の日本人が乗り込んだバンである。しかも、４人の中の一人は、流ちょうなアラビア語を操るのである。

ちなみにこの軟禁事件は、日本の新聞でも報道された。旅は、まだ始まったばかりなのに。

バストマンによれば、解決のくだりは以下の通り。

10月23日《バストマン》
昨日の朝、大使館と朝日新聞社に手紙を書いて、それを昨夜釈放された日本人旅行者に託した。彼がそれをラバトの日本大使館に渡してくれたおかげで、今日、大使館の上條という人がケニトラまで来てくれた。そのためにようやく軟禁状態から解放されることになった。

昭和49年（1974年）10月27日　日曜日

過激派警戒のモロッコ
日本人10人を逮捕
海外協力隊員らなのに

【ラバト二十六日＝共同】アラブ首脳会議が二十六日から開かれるモロッコの首都ラバトで二十日ごろから予防拘禁の形で外国人とパレスチナ人の逮捕が続いているが、その巻き添えとなってモロッコ治安当局に逮捕された十人の日本人は二十五日夜までに釈放されたことが、日本大使館筋によって二十六日明らかにされた。

逮捕された日本人はモロッコに派遣されている日本海外青年協力隊の隊員五人と、旅行で来ている四人組の青年、それに一人旅の青年。

海外青年協力隊の四人は地方から健康診断のためラバトに来ているとき、深夜、ホテルに警察官が踏み込んで来て、いきなり逮捕したという。また一人で旅行中の青年は町中から突然、連行された。

検挙された十人はいずれも、留置場で厳重な監視下に置かれたが、青年一人が二十三日、釈放され、日本大使館に知らせたことから事件が判明した。このため日本大使館がモロッコ当局と掛け合い、二十五日夜までに全員釈放されたが、十人の青年はあまりに無法なモロッコ当局の措置に怒っている。

モロッコでは、首脳会議開催の前にアラブ首脳暗殺計画が摘発され、当局は異常な警戒体制をとっている。しかし、警察、軍隊、国家治安省の協力態勢が不十分なため、事件と無関係な日本人たちまで逮捕されてしまったと、モロッコ筋は述べている。

▲事件を伝える当時の記事（朝日新聞より）。

美人の町と商人の町

10月24日

僕らはメクネス（Meknes）に向け出発。道路の両側は、豊潤から見放された畑の広がり。

同日《クマさん》

ケニトラを5日ぶりに出発して、メクネスの北郊にあるボルビリス（Volubilis）の遺跡を訪れた。ＡＤ2世紀に作られた遺跡であったが、ギリシャ・ローマの遺跡ほど立派ではない。土を使った建物のためか、建築物は、ほとんど基礎を残すだけであった。遺跡の一つにモザイクがあり、当時の面影を残していた。

遺跡に向かう道すがら、熱帯的な林やモロッコとしては豊かな耕地が広がる。そして山がちの枯れた牧草地では、ヤギを放牧している。そして、そのヤギや牛の番をして、一日中野原にいるジュラバ（モロッコの民族衣装）姿の男。目にうつる物、一つひとつが新鮮である。

同日

メクネスはかなりの都会だ。まずは例によってメジナ（町の広場）に行き、食料の買い出しだ。石畳の道を歩くにつけ、人々の風俗を見るにつけ、僕らはさながら初めて動物園を訪れた子供のようだ。メジナは薄暗さも手伝ってか、中世の匂いを紛々とまき散らしている。

マルシェ（市場）に入る。人いきれと、市場内に立ちこめる香気が僕らを酩酊させる。Culture Shock（文化的差異からくる衝撃）だ。

酩酊のついでに、こんな会話がアラブのある国のある所で交わされるのを想像する。背景はとある田舎町のカフェ。いつもの時刻、いつものテーブルに、いつもの男たちがやって来て、いつものように挨拶を交わし、いつものようにお茶を飲みながら、相変わらぬ世間話をしている。しかし、今日は少々ムードが違うようだ。

「おまえんとこのムスターファは何歳になったかのう?」

「18じゃ」

「実は、ワシには娘があってのお」

「へえー、おまえさん、娘を持ってたのかい」

「年は16じゃ。どうじゃ、息子に嫁を貰う気はないかの?」

「よかろう。山羊5頭と塩が2袋でどうじゃ?」

かくして結婚式の日は来る。16年間、固く閉ざされていた深窓は今や開かれる。まだ見ぬ外界への眩いような不安と憧れに、娘の胸は小鳩のようにうち震える。チョコチョコと式場へ足を運ぶ新婦の心境や如何。

他のアラブ諸国はいざ知らず、モロッコに関する限り、都会では概ね女性は深窓から解放されているようだ。しかしまた、それだけ神秘的なベールも剥がされ、ありきたりな女性ということに相成ってしまう。それにつけても、ここメクネスには美人が多い。否、とびきりの美人が多い！

スペインの緑なす黒髪も良かったが、こちらは加うるに、しっとりと濡れて輝く黒い瞳。ひょっとして、昔のメクネスの王様は、美女狩りを生きがいとしていたのではあるまいか。あるいは僕らの目の錯覚、都会でしか若い女性を拝むことができないが故の、いわば晴天の霹靂かも。

この町でも真夜中、いい調子で天国と交信中、ポリさんに叩き起こされ、警察署へ。が、そこは女性を解放した都。それだけに寛容さにあふれている。事情を説明したところ、あっさりと解放される。


10月25日《クマさん》。

朝5時半に、堀内氏の運転でメクネスを出発。

僕が起きたのは、7時近くだが、起きてみると、荒涼とした大地に朝日が映えて美しかった。走る車の前を白い鳥の群れが、水先案内をするように、道路面すれすれに飛んでいた。道ばたの子供たちが手を振って車を迎えてくれる。

同日

朝食と昼食との合間、道路脇に小町を停め、小休止。僕らは久しぶりにキャッチボールをやり始めた。と、近くの農家から若い母親と子供が二人。それに一頭の山羊が僕らに向かって足早にやって来る。母親はお盆を両手で持ち、子供がお皿を、もう一人の子供がやかんを持っている。

僕らの間近に来た時、その光景は絵になった。彼らは小町号の傍らにそれらを置き、ひと言も言わずに小走りに去って行く。

僕らはお盆の周りに集まる。お盆と、その上に置かれた4つのカップは銀製だ。家宝に違いない。

彼女はまたやって来た。大きなお盆に山盛りのクスクスとスープを持っている。

僕らが、それらのもてなしをすべて食べ終えた時、今度は家族総出でやって来る。若い夫婦と二人の子供。皆、にこやかに笑っている。素朴な美しさではないか。5日間の代償を僕らは今、充分過ぎるほど受け取った。

こんな時、我らが中央銀行の頭取たるクマさんは気前が良い。何がしかのお金をお父さんに手渡す。素直に受け取る。与えるもアラーの御心。与えられるもアラーの御心。
さわやかなアフリカ晴れ。道路の両側は相も変わらず、豊潤から見放された畑の広がり。
しかしまた、豊潤なるアラーのしもべの広がり。

同日《バストマン》
夜9時にマラケシュのキャンプ場に到着。

10月26日
マラケシュのメジナには旅行者用の土産物を売る店が立ち並んでいる。いろんな革製品や、ジラバといって、魔法使いのお婆さんが着ているようなアラビア服などを売っている。とても面白い場所なので、何時間うろついても飽きない。25ディルハムの財布も、ねばれば3ディルハムになってしまう。
「概して、アラーの息がかかった国々にはけだるさがある」とバストマンは言う。
絢爛たる栄華を極めた中世のアラブ。その後に来るものは――あの甘ったるいお茶とは良い取り合わせだ。思い起こせば、ウィーンも何やらけだるいムードを漂わせていたっけ。公園に行っても、眼に映るのは老人と子供たち。若者が住むには苔の匂いが強すぎるのかも。あちらは近世の栄華――そして、ウィンナコーヒー。

この商人の町マラケシュでさえ、アラブの町であり、けだるさからは免れえない。あまつさえ彼らは昼間からハッシッシなどを吸い、虚ろな眼で店の中に座っていたりする。ガキでさえトロンとして、もう恍惚そのもの。（ドタバタ三文喜劇の国へ愛をこめて）日本から来た僕らは、何とも拍子抜けする次第である。

同日《クマさん》

キャンピングサイトで、神林さん（ケニトラで世話になった人）の夫妻と会い、礼を言う。彼らはラバトの日本大使館に通報してくれた時のことを話してくれた。

10月27日《クマさん》

昨日、革のバッグとパスポート入れとジュラバを、物々交換＋αで手に入れた。

・バッグ＋パスポート入れ　↓　セーター＋20ディルハム

・ジラバ　↓　シャツ＋16ディルハム

午後1時、マラケシュを出発。

同日《バストマン》

フェズ（Fes）へ向かう途中のベニー・メラール（Beni Mellal）という町の郊外の畑の中で、月光を浴びて泊まる。月明かりが美しい。遠くの町の灯が音もなくまたたき、山の端に霞がかかって幻想的風景である。

10月28日

フェズを過ぎて、タザ（Taza）という町で寝ようとしていると、またもや警察署に連行される。夜11時ごろ寒いポリスの一室で過ごしたあげく、夜中の午前2時に出所ＯＫ。もう我慢ならぬ。ひたすらアルジェリアの国境目指して突っ走る。夜に強い僕がハンドルを握る。仲間は眠っている。夜明け前、強烈に眠くなってきた。小町が蛇行している。が、一念というものは恐ろしい。僕はまだ走っている……いつ運転を交代したのだろう。目覚めると、そこは国境だった。

第3章
アルジェリア・サハラ

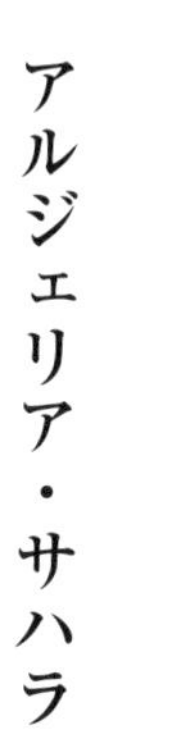

▲サハラの手前にて。

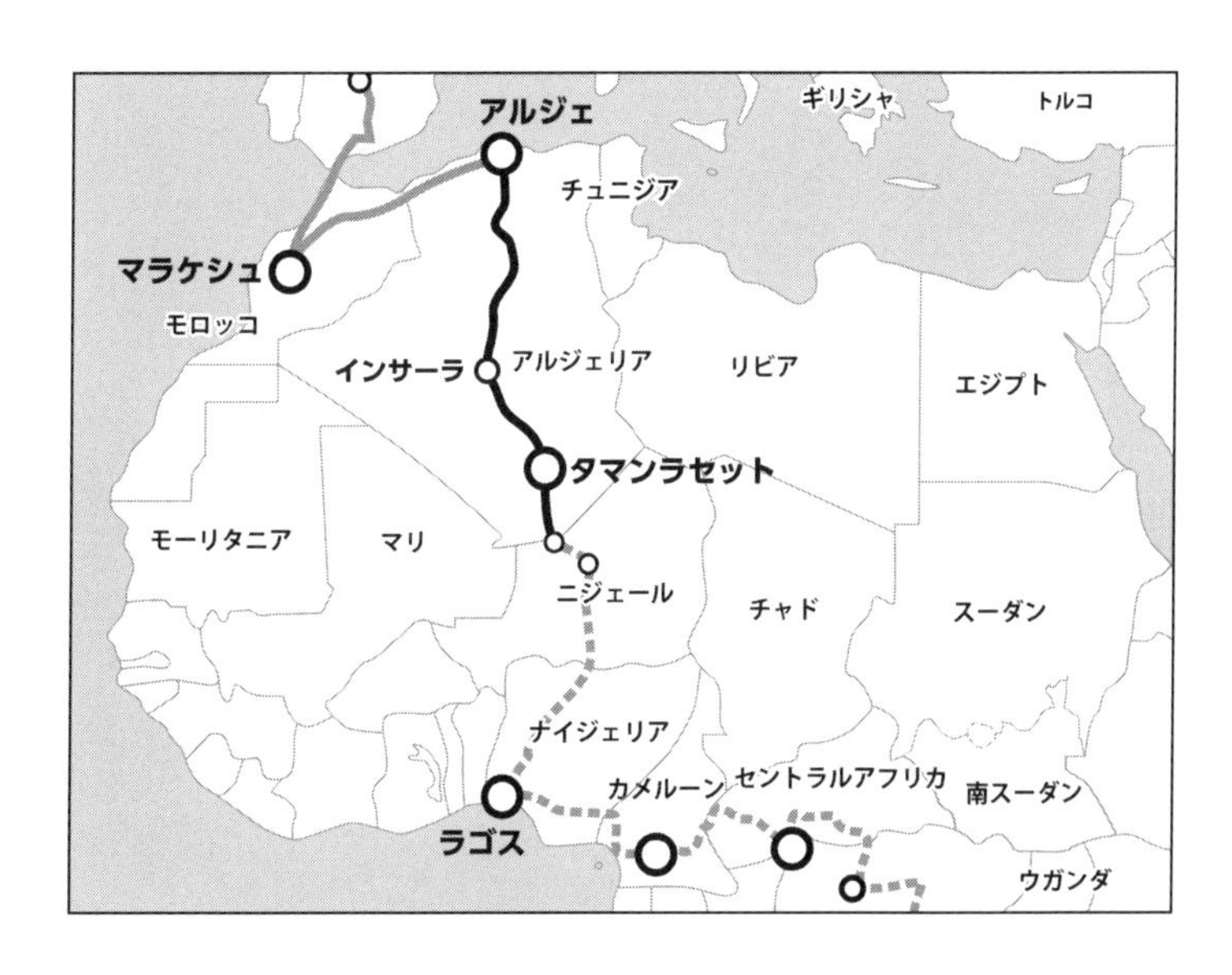

地中海沿いの道

10月29日

アルジェリア国境を無事通過。やがて薄緑色の地中海が左手に見えてくる。波も潮の香りもない、まどろんでいるような、その日の地中海の表情ではあった。

同日《クマさん》

アルジェリア国境で通関の際、車輌保険を買わされる（64ディナール＝約15ドル）。

2時半にボーダーを抜けた後、オラン（Oran）まで200キロを運転する。オランは、フランス風の大きな町だ。モロッコでは、土の家や白壁のアラブ風な家がほとんどだったが、アルジェリア地中海沿岸では、土の家はあまり目立たない。そして、石油産出の国だけあって、大きな町は豊かそうだ。

同日《バストマン》

オランを通って海岸のアルジュー（Arzew）という石油精製所の町の郊外に泊まる。

海に映える月影が美しい。

10月30日《クマさん》

地中海の海岸線に沿って、道はアルジェ（Alger）に続く。二級国道らしく、道はばも狭く、曲がりくねった道だ。道ばたの子供たちが、大声で呼びかけて手を振ってくる。モロッコでは静かに手を振るだけだったが。

途中、食器を洗いに水場まで行くと、子供たちが大勢集まってきて、周りを囲んだ。とても面白い情景だった。僕が走ると、後ろから子供たちが走ってくる。そして、タバコをくれとせがむ。イタリー人的な、開放感を感じる人々だった。

昼食の時には、道ばたで羊を追っている少年のロバに乗せてもらい、礼にタバコ3本。

夜は、海岸に泊まる。おりから満月で、月光がまぶしいほど。潮の音もまた、ムードがある。

サンタさん、一日中、車の中にて、寝ている。

同日

道は、曲がりくねっていて、起伏が多く、かつ狭い。ちんたらちんたら走る。

天使のゲーム

10月31日

早朝、アルジェリアの首都・アルジェに着く。

アルジェリアには、革命前は約100万のフランス人がいたという。首都アルジェ。市内の中心部に立ち、通りを見やる。こりゃパリだ。カンカンダンスとエッフェル塔を付け足せば、いよいよパリだ。

でも、やはりアルジェだ。モスクがあり、ハイク（女性用のアラビア服）を着たおばさんが通りを歩いている。

アルジェでは、VW（フォルクスワーゲン）の店舗を探して歩き回る。小町号の整備である。しかし、ちょうど革命20周年祭とかち合い、小町を整備することも、ビザを取ることもできず、約一週間の足止めをくった。

その間、何をしようか？　4人の男が集まれば――これだ！

で、〝これ〟の次第はこうである。

僕を除いた3人は、モロッコのフェズという都市のカスバ（城壁のあるアラブ人の住む町）で木工屋に行き、麻雀とかいう遊戯のための木を作ってもらい、ボールペンにて一所懸命マークを記入してたっけ。彼らの嬉々とした表情といったら、もう――。

この麻雀とやら、短くも貴重なる生命を蝕み、気づいた時には彼をして白髪にさせ、悲嘆の涙にくれさせる、世にも恐ろしき悪魔のゲームと聞いている。故に、いまだかって僕は、このゲームに手を染めたことはなかった。僕は、そんなことよりはむしろ、荒涼とした砂漠の中で、空一面を染める夕日を仰ぎながら、マホメットにも比すべき沈潜の時を持ちたかったのだ。しかし、ここで我を張っては、アルジェにおいてきぼりにされる危険性が高い。しぶしぶOKサインを出す。

さっそくバストマンが早見表を作成してくれ、カフェに行き、コーヒーを飲みながらの特訓。その夜はもう実戦ときた。だが、お金を賭けるかどうかで、サンタさんと僕とで激論。彼は人生、これすべて賭けなる男。僕はイヤ。そこで少々賭けるということで決着。翌日から一週間、朝から晩まで打ちまくった。

朝から夕方までは、小町を停めてある広場付近の青空カフェのテーブルの上に毛布を敷いて打つ。アラブ人は、例のけだるさの故か、旅行者に対しては、おしなべて反応が淡泊というか、無関心なので、その点では助かる。

しかし、小町ちゃんには無関心でもなさそうだ。というのも、4人揃ってある国の大使館にビザを取りに行ったスキを狙われ、共同バンクの預金1万4千円、クマさんのカメラ、サンタさんのコートと寝袋をパクられてしまった。総額約10万円也！

だから、暗くなれば小町の中で毛布を広げる。いつも小町を見守っていないとだめなのだ。

3日目のお昼過ぎ、僕は四暗刻をツモった。役満とかいうやつらしい。仲間の大げさな驚きを見て、僕も少々驚く。これでやみつきになった。

思い起こせば、あの忌まわしいケニトラ収容所でのブリッジで、僕は勝ちに勝った。バストマンに「ケンさん、麻雀やったら絶対強いよ」なんておだてられて、いい気になってたもんだったが、あれも、この役満も、僕を悪魔のゲームに引きずり込まんがための奸計ではなかったのか、といぶかしく思うのではある。

しかし後日、僕らは気づくのだった。麻雀こそ、アフリカサファリ（旅行）を成功させた立役者だったと。僕らは、砂漠で、ジャングルで、いろんなパニックに陥った。そんな時に僕らを救ってくれたのは、麻雀だった。狭く、薄暗く、ムシムシする小町の中で、やぶ蚊に刺されながらの麻雀。旅の成功への祈りを込めて、僕らは手にする牌を見つめていたものだ。そんな時の麻雀は、天使のゲームだ。

11月1日《バストマン》
一日中、腹の調子がおかしいので、絶食。終日麻雀にうつつを抜かす。

11月2日《バストマン》
カフェのテラスで麻雀に精を出す。夜は鶏モツの醤油煮。腹が完調ではない。

11月3日《バストマン》
終日麻雀。

11月4日《クマさん》
買い物に町へ出る。ナイジェリア大使館にてビザ申請。

11月5日
ビザがおりる。

11月6日
小町号をVWの工場に入れる。待っている間は、カフェにて、麻雀牌にニスを塗る。
夜も雨で、ずっと車の中で過ごす。町で買い求めた松茸で、松茸ご飯を炊く。抜群にうまい。

いざ砂漠へ

11月7日
早朝、アルジェ出発。うな丼だ。
同日《クマさん》
アトラス山脈を越えるまでは、とても寒く、頂上付近では、残雪が見られた。しかし、アトラスを過ぎると、天気は一変し、澄んだ青空と荒涼とした砂漠が始まる。道の両側は、岩と砂と灌木だけの世界。
途中、砂丘を見つけ、立ち寄る。それほど大きな砂丘ではないが、本当の砂漠にきたという実感がある。

▲サハラの手前にて。

同日

ミシュラン（仏製）の地図を見ると、地中海からギニア湾に抜ける3本の生命線（ルート）が記されている。僕らは真ん中のルート、アルジェを起点としてナイジェリアのラゴス（Lagos）に至る、全長4000キロのルートを採った。理由は簡単、他の2本より安全そうだったから。

いよいよ今から足を踏み入れようとしてるサハラは、じつは砂丘だけで成り立っているわけではない。すぐにわかることになるが、土漠あり、岩漠あり、またかなりは山間部を恐る恐る通ることもある。総じて、人間が住むには適さない場所だ。

時として、僕らは砂漠のこの圧倒的な自然を前にして、曰く名状しがたい感慨に打たれることがある。とりわけ朝が良い。砂丘のてっぺんに登り立ち、遥かに広がるゆるやかな曲線を眺める僥倖に浴することができる。周りの砂山は、朝日に触れると、優しい温かさというような色合いを呈し始める。そんな時に僕らは、ちょうど海と相対する時に感じる親しみのある畏怖というか、何やら人間の素性というようなものに、図らずも想いを馳せるのだ。

広大、かつ無垢な自然が僕らの中に浸透し、僕らをして安らかな気持ちにさせる。そのことはとりもなおさず僕ら人間も、自然の一員であることを教えてくれているのではなかろうか。

と同時に、自然の持つ荒々しい相貌を、僕らは決して忘れてはいけない。僕らを狼狽させるには、一陣の突風で充分だ。最も適切なトレイス（道）を見定めにくくするし、スタック（車輪が砂地に埋まる）しやすくなってしまう。

またある時は、360度、完璧な地平線の真只中を走る僕らを発見する。茫洋とした雲海の上を、とりとめもなく飛んでいるようで、気分が地に着かず、漠とした不安にかられる。

正午近く、太陽はジリジリとサハラを焦がす。地平線の彼方に青白い蜃気楼が揺らぎ出すと、もうダメ。あの砂丘での、たおやかなる印象は嘘っぱちだとしか思えない。自然が僕らに抱かせる、大いなる二律背反……。

だが、それもこれも今から始まること。さいわいにも時節は冬。時は良し。サハラは穏やかな眠りを貪っている。

さあ、前進だ。

11月8日《バストマン》

早朝の寒さが身にしみた。5時30分に出発。昼頃、ガルダイア（Ghardaia）に着く。ツーリストの車も、けっこう目に付く。国境で行き会ったイギリス人カップルに再会。砂漠に備え、スタック板（長い鉄板）を買う。ガルダイアは谷間の美しい町だ。町を出たところで、今日はおしまい。夕食にラクダ肉のトマト煮を作って寝る。

11月9日《バストマン》

5時30分にガルダイアを出発。舗装道路とはいえ全くの砂漠地帯に入った。昨年のアラビア半島を思い出し、感無量なり。昼前にエルゴレア（El Gorea）に到着。ガルダイアよりは、小さくて静かな町である。この辺りから黒人が増えてきた。午後は町外れにある池のほとりに車を止めて、そのまま泊まる。夜になって、星が無数に現れ、美しい。砂漠は、やっぱりいい。

▲スタックして後輪が砂に埋まり、傾いた小町号。

11月10日《バストマン》

朝はゆっくり起床。出発は2時。舗装の切れ目で初めてのスタックをした。

11月11日

アルジェから約1000キロ南下。朝方、インサーラ（Ain Salah）という町に着く。この町はドライの一語に尽きる。土で造られた直方体の家々の一群があるのみ。子供を数人、路上で見かける。アラブ人と黒人の混血もいる。乾燥しきった静寂の中、悲鳴にも似た鳴き声を立てながらロバが近づいて来る。こりゃ、正真正銘の悲鳴だ。大の男と大きな水瓶を2つも乗っけているではないか。

この町ですべきことは4つある。ガソリン給油（ジャリカン5本で100リットル、小町の常備タンクに60リットル）、飲料水の給水（40リットル）、朝食用のパンの買い出し、それに700キロ先の次の町タマンラセット（Tamanrasset）に行くための通行許可届。

ここから先、アスファルト道路は切れ、砂漠道だ。昼過ぎ出発。とたんに僕らを試すがごとく、軟弱な砂場が出現。何度も強烈なスタック。スコップで砂場を均す。スタック板を降ろし、車輪の下に敷く。運転手を除く3人は小町の尻を押す。半クラッチを多用し、やっと難関突破。先々のことを思い、気が滅入ってくる。が、ままよ！

同日《バストマン》

いよいよ砂漠の道路に突入。ひどい道である。交代で運転して走る。サスペンションのパッキングが外れ、苦闘。

同日《クマさん》

共にインサーラを出た英国の2台のVWのうち、1台はパワーがないために引き返さざるをえなかった。

その夜は、ただ広い砂漠の真ん中にて泊まる。夜の星がとてもきれい。

11月12日《バストマン》

終日砂漠道を走る。夕方、岩山の麓に小町を止めて、泊。

砂漠の一日

僕らのサハラでの日々は次のように始まる。

夜明け、朝一番の運転は、決まってバストマンだ。彼は自分のことをセクシーだと信じている。誰が見ても、どこから見ても、そうは思えない。が故に、彼の狂信ぶりには何やら偉大なところがある。

湿り気を含み、ひんやりとしている大気に包まれ、蒼白にまどろんでいる全き静けさの中で、彼は小町を揺り起こす。セルを廻す。ボンボンボンボン……。いかにも年増にふさわしい大様なエンジン音を立てて、小町は身を震わせ始める。この一瞬、バストマンは真剣だ。小町の心臓音を聞き、彼女の調子を伺う。

その時にはすでに全員が目覚め、聞き耳を立てている。これで今日一日の正常な行動が約束された。これは厳粛な朝の儀式なのだ。もし小町が目覚めなかったなら、僕らは空漠たる行く手をただ眺める以外、どうしようもない。
　エンジンが温まるのを待つ間に、彼はおもむろにタバコに火をつける。マッチの炎が彼の横顔をほんのりと照らし出す。セクシーだ。タバコの煙が合図ののろし。ＯＫ！　僕とクマさんは再び眠りに入る。サンタさんは助手席へ。例によって地球上に存在するものすべてを舐めつくさん。１時間して、クマさんが運転を交代する。僕は朝に弱い。スタックしない限り、まだ眠っている。

　１時間後、砂上の朝食。この時刻が、一日のうちで僕らはいちばん好きだ。陽の光が東方から柔らかく流れ込んでくる。それに触れると、サハラ全体がポッとしてくる。僕らの身も心も。そよ風も。そう、そよ風が最高だ。僕らにとっては、このそよ風はポパイのほうれん草。胸いっぱい吸い込めば、勇気リンリン虹の色。
品のない話だが、書こう。なぜなら、これも最高だから。

　　暖かき陽光とポパイのほうれん草を
　お尻に受けてのトイレッティング
　我がお尻も自然の賜物なれば
　自然と自然とのさわやかな交信

眼前に広がるサハラを眺めやり
しばし　頬杖をつきながらの
味わい深き黙考

朝食は、決まってパンとコーヒー。概してヨーロッパ人種は、身の毛もよだつ略奪闘争の歴史を持っている。フランス人も例外ではない。ルーブル美術館に行けば一目瞭然。陳列品の90％は略奪品と言っても過言ではなかろう――というのは余談だが、反対にフランス人がアルジェリアに残していったこのバケット（長パン）は、サハラでは、2日目ともなれば、まともに口に入れると大変なことになる。なぜなら、乾燥した大気が、パンをして鋼鉄の如くカチカチにしてしまうからだ。

そうとは知らず、サハラに突入後しばらくして、僕はガリッと噛んでしまった。パンの皮は鋭利な刃物と化していた。歯ぐきが裂け、真っ赤な血が

▲小町号の車体の下にもぐりこみ、前輪の故障の修理中。

ダラダラと流れ出した。この時、僕はつくづく感嘆したものだ。さすが、フランス人。実に洗練された凶器ではないか。このことがあって以降、僕はコーヒーの中に固パンを浸し、柔らかくしてから食べることにした。でも、これがなかなか柔らかくならなくってねぇ。

ある時、コロッケを作ろうということになり、パン粉にするべく、この固パンを潰そうとしたことがある。フライパンの上にパンを置き、適当な岩のかけらを拾ってきてパンを叩いた。信じたくない人は信じなくてもいい。粉々になったのは岩の方だった。結局、パン粉は作れずじまい。

さて、朝食が終わると出発。今度は僕の運転。メインロードが一本通ってはいるが、この道は一日に4、5台ほどが通る巨大なタンクローリー専

▲夕食前のひと時。車の前の枝はたき火用。

用道と言っていい。極端に地盤の固い洗濯板のような道で、小町には無理だ。そこで、この道を横目で見やりながらの走行となる。以前にツーリストが走った轍を頼りに走る。何本もあるが、最も適当なトレイスを、助手席の仲間と2人して、探し探し走る。

一度、思いきって洗濯板に挑戦したことがあった。忘れもしない。インサーラを出発して3日目（11月13日）の朝だった。その時まで、この洗濯板の波を乗りきれるかどうかで意見が沸騰していた。サンタさんは時速60キロを出せば波に乗れると主張する。僕は絶対に無理だと言い張る。たまたま、前の晩はテントを張り、その中で寝た。そのせいで朝の冷気に触れ、出発の時には僕の眠気は吹っ飛んでいたはずだった。バストマンが僕に朝一番をやらないかと言う。ＯＫ！　しかし、まだ目覚めていなかったのだろう。僕は小町を洗濯板の上に乗せた。スピードを上げる。ものすごい振動だった。

3人（サンタさんは運転できない）のうち、誰かが洗濯板を試しただろう。そして、それは宿命的に僕だった。サンタさんに対する面当てというか、何か悪魔的なものが僕の心をつついていたのを否定できない。

この時、小町の前足が一本傷ついた。前輪のショックアブソーバー内のオイルが過熱して溢れ出し、弾力性を失った。おかげで、タマンラセットまでの4日間は、時速20キロというスローペースの走行となった……。

午前中は、僕が小町のハンドルを握っている。太陽が高く天に昇るにつれ、その光と熱を増す。前方遥か遠くに見える岩山が、地上から浮かび上がっている。蜃気楼だ。僕は何も考えない。ひたすら前進する。正午近くともなれば、砂が太陽に焼かれ、サハラ全体が白熱化する。汗は出る前に蒸発する。ラジオのスイッチを入れる。抑揚のないアラブの音楽。これが自虐的恍惚に拍車をかける。

小町もオーバーヒート気味になる。岩場や樹木があれば、それらの近くに小町を寄せ、昼食だ。スパゲッティや焼き飯などを作り、食べ、食器は紙で拭き洗い。2時間ほど昼寝。さあ、もうひとっ走りだ。

陽が沈む1時間ほど前に、適当な場所に小町を停める。クマさんは小町のボンネットを開け、エンジンルームを点検する。サンタさんは玉ねぎを切る。バストマンはお湯を沸かす。僕は米の分量を量り、小石をつまみ出す。毎夕行われる厳かなる儀式だ。てなことをしているうちに、夕日はいよいよ美しくなる。風のいたずらで、砂漠の表面に小さなうねりが規則正しくでき、延々と広がっている。斜陽が差す。光と影が織りなす見事な絨毯。

砂上にシートを広げて食事。薪があれば、たき火をしながらの食事となる。パリで味噌を買ったので、毎夕食には味噌汁が飲める。

「今夜も満ち足りた」「コーヒーが美味しい」「星がきれいだ」「10時になる。寝よう」これが夜の会話。バストマンは運転席。残る3人は後ろで寝る。狭いので寝返りはできない。僕の枕元の隣に食器入れがある。その中に、いつ頃住みついたのか、ゴキブリがごそごそ動き回るので、なかなか寝つけない。でも、いつしか眠ってしまう。僕らのサハラでの一日は、こうして終わる。

オアシス――「月の砂漠に浮かぶ、ヤシの葉繁る緑の園」を想像するなら、辛い幻滅の憂き目を見ることになる。多くの場合、そこにはポツンと井戸が一つあるだけだ。しかし、砂漠のキャラバンである僕らにとって、そこはやはりオアシスには違いない。なぜなら、そこには水があるからだ。

走っている小町の中にハエが飛び込んでくる。と、僕らは水場や人の住まいが近くにあることを知る。案の定、レンガで造られた家が数戸見えてくる。

水――これは小町一族の死活問題だ。水が何色をしているか（茶色、緑色もある）、飲める水か、食器洗い専用の水か、全くダメか。水場に行く。井戸の中に桶を落とし、手繰り上げる。ボウフラが泳いでいる。しめた！　飲めるぞ。

目指せタマンラセット

11月13日《バストマン》

早朝6時出発。1時間ほど走ったところで、前輪のショックアブソーバーからオイル漏れ発生。後から来たヒゲの英国人（ジョン）のスペア部品をもらい、付け替えようとしたが、サイズが合わず。タマンラセットまでの400キロは、もたないかもしれない。そして、終日の低速運転のため、疲労が激しい。

11月14日《クマさん》

今日は一日中曇りで、過ごしやすい。サスペンションの傷はペースをガクンと落とし、走っていてもつらい。1日やっと100キロというところだ。タマンラセットまであと250キロ。3日はかかりそう。このまま他に異常がなければ、なんとかつけそうだ。食料もまだある。英国人の車（ジョン）は先に行った。

11月15日《クマさん》
　朝、5時30分発。6時ごろ、ジョンのVWを見つける。そのまま先に行くが、朝食時にまた追い越される。
　タマンラセットまで200キロ地点にて泊まる。夜、テント。
同日《バストマン》
　昼ごろ、30キロほどの舗装道路に乗る。回帰線近くで泊まり、麻雀。夕食は久しぶりに豪勢にやる。
11月16日《クマさん》
　朝5時30分に出発。途中、北回帰線を通過。
　夕方、夕日に映えるタマンラセットの町に入る。

▲ヨーロッパのツーリストたちと。彼らはカップルが多い。

▲タマンラセットの町。木々が生い茂る。

思っていたよりやや大きい町で、結構たくさんツーリストがいた。飛行機で直接やってくる者もいるようだ。町の中には、VWの小型バスやシトロエンやランドローバーが、サハラの砂に汚れたその体を休めていた。ジョンにも再会した。
6日間のサハラとの格闘を終えて、やっとタマンラセットには着いたものの、まだ先は長い。

11月17日《クマさん》
町の中でショックアブソーバーを探す。午後は麻雀、そのまま徹夜。

11月18日《クマさん》
昼まで麻雀続く。午後、町に買い物。

11月19日《クマさん》

今日一日は、買い物についやす。サスペンションを160ディナールで買う。

同日《バストマン》

ヨーロッパの各国からツーリストが集まってきているが、日本人は我々だけのようである。

この町は砂漠の中に浮かぶ島のような町であるが、アルジェから飛行機で来る観光客が多いので、町の人間がすれている。砂漠を売り物にした観光地だ。

11月20日《バストマン》

午前中で買い出しを終えて、タマンラセットを出発。20キロ地点で泊。昼飯に町で羊の腸の干物を食ったが、油が強くてまずかった。夜はマカロニを食った後にたき火をする。月に怪しげな雲がかぶって、異様な感じである。

11月21日《クマさん》

朝、出発して20分くらいした所で、故障したランドローバーと出会い、これから向かうニジェールとの国境には、出入国の書類が何もないことを知る。再びタマンラセットまで戻り、書類関係を済ます。

タマンラセット再出発、12時。

昼食が抜群であった。——ラクダ肉、野菜炒め、サラダ（いも）—— ラクダを見ながら食事をする。きもちいい〜。

同日《バストマン》

タマンラセットを出ると、徐々に山がなくなり、平地になってくる。低くなってきている。

11月22日《クマさん》

タマンラセットから約100キロ地点。

昨夕、トラックの連隊が、何やら我々に忠告してくれたのだが、何のことか、その時は、わからなかった。

しかし、朝、出発すると、進行方向があまりに東向きのため、途中まで引き返す。約8キロぐらい、違う道を来ていたことに気づく。

午前中2回スタックしたが、距離は比較的進んだ。国境まで180キロ。

同日《バストマン》

途中でバイクに抜かれたり、シャフトが折れて2週間も泊まっているフランス人のフォードに出会ったりした。夕方、スタックして脱出した後、その近くに泊まる。麻雀。毎日疲れる。砂漠も風が強く、寒い。車が何かと心配だ。

11月23日

快晴。現在午後5時10分。サハラにマットを敷き、その上に腹ばいになり、オレンジ色に輝く夕映えの中、これを書いている。

今日は散々だった。午前中、4度も強烈なスタック。ただでさえ見えにくい轍を、強風が細かい砂を吹き寄せて隠してしまう。しかし、昨日の二の舞（道を迷いかけバック）だけは免れた。とはいえ、タイヤがすぐに埋まる。

スタックすると、水の入ったポリタン（ポリタンク）、ガソリン缶など、重い物を皆降ろし、スタック板を敷き、やっとこさ窮地を脱出。と思いきや、またまたズボッ。車高よりも溝の方が深いので、車輪が空回りしている。

太陽はジリジリと砂漠を焦がす。僕らは失意と暑さのため、何度もめまいを感じる。所々に車の残骸が横たわっている。小町に目があれば、気絶しかねないような光景だ。ポイントがずれたのか、小町の馬力が出なくなったようだ。

サンタさんの血便、ひどくなっているようで心配。が、ここではどうにもならない。クロマイを投与中。2日前、タマンラセットで買ったラクダ肉を料理したが、もう腐っていた。それをサンタさんは食べ、残る3人は食べずに捨てたのだった。

タマンラセット以後、クルマの数がグッと少なくなる。今日見かけたのはトラック3台。

今日、ポリタンの水に浄化剤を入れる。小町は5キロを1（リットル）で走っている。

何とかアガデス（Agadez）までもちそうだ。が、予定日（11月29日）までに行けるかどうか心配。

疲れた……夕日がきれいだ。ミュンヘン出発以来2か月あまり。スペイン、モロッコでの出来事が遠い昔のことのようだ。

同日《クマさん》

最後のスタックの際は、スイスとフランスのVWのチームが通りがかり、手を借りた。

夕方、国境まで60キロ地点に着く。

同日《バストマン》

サンタさんが下痢のため、終日寝ていて心配だ。

大きな雄大な夕焼けを見た。まるでカラーのシネマスコープを見ているような素晴らしい夕焼けである。風もやんで静けさが辺りを支配している。アルジェリアサハラの広大さに、しばし感激する。明日は道が良いことを願って寝よう。

夕暮れとたき火

砂漠に夕べが訪れる。これだけは、ぜひ皆に見せたいと思う。

ある時、僕らは周りが岩壁で囲まれた、盆地のような場所に入り込んだことがあった。大気に塵が混じってないので、赤銅色に輝く岩壁が迫ってくる。足元の岩に手を触れると、陽の暖かみが残っていて心地いい。

岩山に登り立つ。夕日は、ゆっくり確実に西方に沈んでいく。周りの景色は刻一刻、その表情を変えていく。周り一面、真っ赤だ。この光景は、何とも純な歓びを僕らに与えてくれる。僕流に言えば、子供の頃、ある夏の早朝、隣の家の庭に咲いていた大きなバラの花の中に、大きな黄金虫を見つけた時の、あの目を見張らせる歓びに似たところがある。郷愁の結晶と言っていいだろう。

「ジャジャジャジャーン」

「む！　あたりを圧するこの異臭。バストマンかっ」

「そーだーっ。アラブの死神。アフリカの流れ星。バーストマン！」

「おっ、そのむくつけきヒゲ面男。サハラの殺し屋、クマゴンだなっ。いざ、尋常に勝負しろっ」

「出たな、三角帽子のハービービー（サンタさんのこと。この頃よく下痢してた。ハービービーとは、アラビア語で恋人）」

「俺はサハラきってのエロ事師。夜の帝王。ゴキブリ仮面だ（この頃の僕は、枕元に出没するゴキブリのことをよくこぼしていた）」

すべては真っ赤過ぎる夕日のせいだ。


そして次は、たき火。

昼前、薪になりそうな枯れ木を見つけると、僕らは拾い集め、小町の屋根に積み上げておく。僕らは皆、たき火が好きだ。

夜になる。食後のひと時を、僕らはたき火を囲みながらコーヒーを飲んで過ごす。スタック板をたき火の上に乗せ、タマンラセットで買った生ピーナッツを焼く。香ばしくて旨い。昼間、茫漠とした荒野を走っている時、つかみどころのない感情が僕らの心に流れるのとは反対に、このたき火の周りには、しっとりとした我が家の安らぎがある。

夜空を仰ぐ。満天の星、星、星。サハラでは、星は天球上に浮かんでいるのではない。びっしりとくっついているのだ。僕らとの交信を催促するかのごとく、星々は〝ジーン〟という発信音を流し続ける。無論、錯覚であろう。が、そう思うにはあまりにも神秘的な星空だ。ロマンチックなムードに促され、僕は一人、砂上の散歩。20メートルと進まないうちに、僕の足は動かなくなる。全き闇を前にして、僕はおののく。ヒヤリとしたものが全身を駆ける。僕は肝に銘じる。いつ、いかなる時にも、サハラは感傷を許さない、と。

振り返れば、たき火の何と暖かそうな炎であることか。仲間たちの笑い声が聞こえてくる。僕は肝に銘じる。あそこにこそ、僕の生命がある。否、生命以上のものがある。

第4章 ニジェール・ナイジェリア

▲元気な健さんとバストマン。

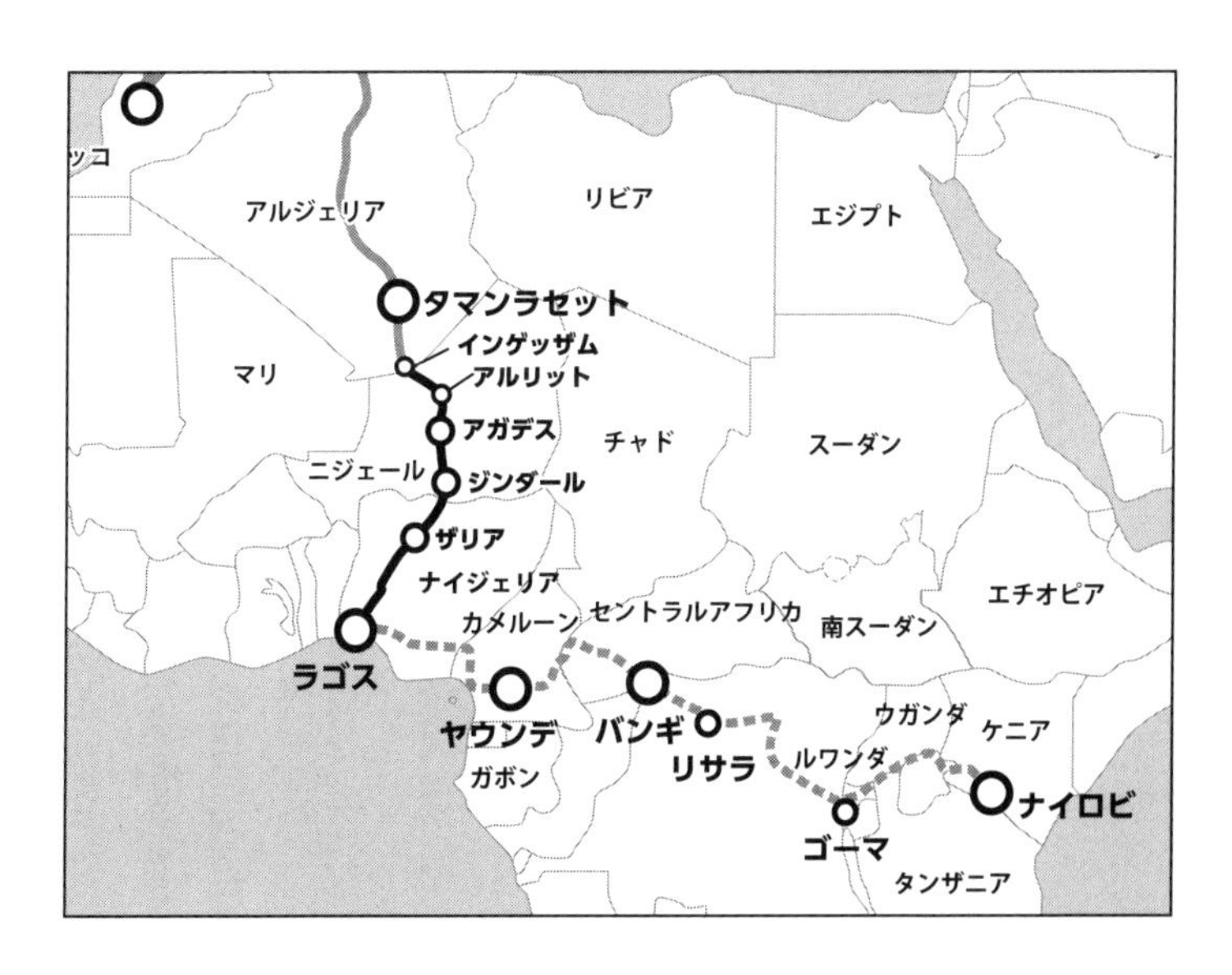

ニジェール美人

11月24日
国境通過。アルジェリアから、ニジェールに入る。サハラは、まだまだ続く。
同日《バストマン》
早朝、出発する。午前中に、アルジェリア側ボーダーの町・インゲッザム（In Guezzam）に着く。
2キロほど離れたところにポリスコントロールがあり、無事通過。しかし、ニジェール側のボーダーまでは、20キロ以上もある。その道も、砂だらけの細い道。スタックしそうで怖かったが、3時間近くかかって、なんとか無事に、ニジェール側ボーダーに到着。ここで驚いたことが。なんと水がふんだんに出ていて、水浴びもＯＫ。ただ、水が泥臭いので飲めなかったのだが。
夕方、アルリット(Arlit)を目指して出発。10キロほど走り、真っ平らな砂漠の中に泊まる。斎藤氏の下痢がひどくて困る。国境を越えた途端に、アラビア語は通じなくなった。
同日《クマさん》
360度、何もないところで泊まる。

11月25日《バストマン》

早朝に出発。平坦な道をとばす。途中で大スタックを一回やらかした。全く平らな砂漠道であるが、ときおり多少の起伏の裏に砂地があり、そこで苦労する。夕方、テントを張っているバイクを見かけた。アルリットまで40キロ。たき火をしていると町の灯火が見える。このところ、月夜で美しい。昼はものすごく暑いが、夜・明け方はかなり冷え込む。ニジェールサハラはこれまでのところ洗濯板の波も小さくて走りやすく、1日で160キロも来た。砂漠に入ってからの最高記録である。夕食には天ぷらを作った。我ながら上出来であった。たき火を囲んで1杯のブランデーを飲む。まだ先の長い旅であるが、安らかな一夜だ。

11月26日

ここはアルリット。ニジェールに入り、最初の町らしい町だ。まずは酒場探し。そして今、夢にまで見たビールをコップになみなみと注いでいる。アイルランドが生んだギネスの小瓶が1本200円弱。重厚なる色合い。ゴクリゴクリ。僕らは皆、とろけるような優しい気持ちになり、しばし無言。

己が精神に幾分かの余裕を持たせたところで、おもむろに周囲を眺め、そしてぼう然自失する。何と黒人ばかりではないか！　しかしまた、幾分か余裕を回復し、己が心に納得させるかのごとくつぶやくのである。「国境を挟んでのかくなる人種、文化の変わり身は、今日が初めてというわけではあるまいて」。僕らは国境を越えるたびに、軽いめまいを感じ、次に心が躍り出したものだ。

アルリットは、近くにウラン工場があるせいか、活気があって開放的。写真はどこでも撮れる。子供たちが寄ってきて、「写せ」とせがむくらいだ。アルジェリアの田舎では、女の子たちはカメラを向けると逃げてったっけ。しかも、ここは若い女性に美人が多い。鼻すじが通っているヨーロッパ・タイプの黒人美人だ。ただし、3メートル美人だ。それ以上近づくと、ムッとくる体臭にやられる。

サンタさんの下痢も、ビールを飲んだが故か、ニジェール美人を鑑賞したが故か、幾分か良くなってきたようだ。食料を買い込んだので、今夜の食事は豪華版だぞ。

さて出発。周囲の景色が少し変わり始める。サハラ（褐色の無）から、今度は乾燥ステップ地帯に入ったようだ。

同日《クマさん》

朝5時40分発。1時間あまり走ってアルリットへ着く。町の近くにウラニウムの鉱山があって、予想に反して飛行場まであった。町も比較的大きく（地図の印より）、バンクとガソリンスタンドがあった。

タマンラセットまではアラブの町であったが、ここアルリットからはもうアフリカの町という感じ。女性も、アラブの町のようにベールで口をおおったりしていないこともあり、控えめな感じではない。町にも、アラブにない活気がある。子供たちにカメラを向けるとそれぞれにポーズを作る。そして、やはり、フランス西洋偏向という向きもある。

ニジェールでは食糧不足の心配をしていたが、インサーラ、タマンラセットなどの砂漠の地より、いろいろ食料があるようだった。

今夜は、ステップ（草原）にて泊まる。途中、カモシカを草原で見つける。

「チュッケル」とランドローバー

11月27日

快晴。早朝、午前5時半、出発。僕らが小町は、枯草と灌木の海をうねるように走る。

ワジが出現する。ワジとは雨期になると川になる場所で、その川底は砂質が細かく、柔らかく深い。車内の荷物一切合財を降ろし、川底にスペアタイヤ、スタック板、枯れ木などを敷き、小町がのめり込まないようにする。しかる後、南無三！

ズボッ！　万事休す。30分に1メートルの割合で前進。

四苦八苦しているところ、何処からともなく地元の遊牧民の男性が一人やって来て、小町の尻を僕らと一緒になって押してくれる。

2時間後、やっと脱出。

アフリカは、大陸としては最も古い地質を誇り、ダーウィンをして「人類の最初の発生はおそらくアフリカであろう」と言わしめた。その最古代人の末裔たる栄光の遊牧民が、しきりに何か口走っている。

「チュッケル、チュッケル」

「？……砂糖か！」

角砂糖を16個進呈する。どういうわけか、僕らは彼の協力を角砂糖16個分と評価したのだ。彼は両手におし抱かん如く受け取る。しわだらけの顔をよりしわだらけにした笑顔がいい。が、その歓びようは尋常でなく、またこんなことが起こったら、角砂糖の数を少なくしようと言い合う。

▲クマさんの日記より。

やっと脱出し安心したのもつかの間。前の10倍はあろうかと思われるワジに出くわし、僕らは呆然とたたずむ。以前にツーリストが通った轍に乗っかり、突っ切ろうとすれば、轍の深い溝が確実に車高の低い小町の腹を押し上げ、車輪が空回りしよう。が、川底の処女地を開拓するとなれば、渡りきるのに3日はかかるだろう。

しかし、天は我らを見捨て給わず。ランドローバーに乗ったフランス人のパーティがやって来た。この英国製ランドローバーは、サハラ縦断のために作られたような車だ。あーっと言う間に渡りきってしまった。しかる後、ロープを小町の首に結び、ランドローバーに引っ張ってもらう。そう簡単にはいかない。合図と同時にアクセルをゆっくりと踏む。強く踏むと空回りだ。ギアはセカンド。運転手以外は小町の尻

▲ワジを渡ろうとする小町号。手前のやわらかい砂がワジ。

を押す。強い日差しを浴び、白熱化した砂地の中での悪戦苦闘はしばらく続く。渡りきったぞ！　車体を軽くするために降ろした荷物を小町に積み込むため、川の両岸を往復すること数回。さて出発。

日陰を探し、昼食はスパゲッティ。何処からともなく地元民がやって来て、ジッと僕らの食事ぶりを見つめている。子供たちがペット同伴で来た。40センチはあろうかと思われるトカゲだ。腹は鮮やかなピンク色。背中から横腹にかけては、納豆に卵1個としょうゆときざみネギを入れてかき回した時の色みたい。落ち着いて食事ができない。バストマンに言わせれば、トカゲの肉は兎肉に似て柔らかく、結構いけるらしい。が、僕は兎の肉を食ったこともないし、第一トカゲの肉など食べたくもない。見れば見るほど気味が悪くなる。

周囲の景色はいよいよステップ。夕日を浴びて枯草が黄金色に輝き、さわやかなる風に揺れる。ここはアガデスまで150キロ地点。

同日《クマさん》

道を走っていても、道沿いの現地人たちが走り寄ってきて、物をねだる。いよいよアフリカに来たという実感がわく。あたりのステップにはラクダやロバが群れを作っていて、動物王国アフリカの一面を見る。これから先もいろいろな動物を見るのが楽しみだ。

サンタさんも、次第に元気を取り戻す。

同日《バストマン》

半裸の現地人がたくさんやって来るが、みんな砂糖を欲しがっているのは理解に苦しむ。どの人を見ても貧乏で、食料や砂糖が欠乏しているようだ。西アフリカの食糧難は続いている。

食事の分配

さて食事の準備だ。現地米なので小石をつまみ出すのに苦労する。ガスが切れてきたので、米は明日からたき火で炊こう。米も3回分しかないので少量しか食えない。水も節約。ああ、腹一杯メシが食いたいなあ。うな丼が食べたいなあ。今夜は冷えるから小町の中にて食事としよう。モソモソと一族が車内に入る。扉を閉めると、5分とたたないうちにポカポカしてくる。

さて、分配だ。緊張の時。分配役は誰が決めたというわけではなく、暗黙のうちに順番制を採っている。今夜は僕だ。仲間たちは皆、無関心を装いつつも、その実、深い関心のうちに僕のおしゃもじ加減を見つめている。知らず知らず、彼らの眼が光る。顔がひきつる。鬼気迫る笑みが仲間たちの表情に現れる。飢えに近い状態を経験したことのない人には、形容しがたい情緒で凝縮されたかくなる哲学的心境は、わかるまい。

いつも通り、僕はこの厳粛なる行事を滞りなくやり終えねばならない。スピードが大切だ。いかにも無頓着に〝こんなのは適当でいいや〟ってな具合で、さっさと味噌汁、次にご飯をブリキのお椀にぶっちゃける。そして結果的に皆をして納得させるにたる均等分配でなくてはならない。たとえ分配者が判断を誤ったとしても文句は言わない。すべて暗黙の了解のうちに事は運ばれる。

メインディッシュは、小さな車内灯の放つボヤーッとした光の真下、僕らの中心にデンと供えてある。とは言ってもたいした物ではない。多くの場合、野菜炒め。時として天ぷら。ない時もある。このメインディッシュは分配しない。が故に最大級の神経を使って食べるのである。多く取りすぎると白眼視されるし、少なければ後悔のせいで、その夜は安らかに眠れない。

ある時、ラクダ肉をステーキにしたことがあった。こんな大盤振る舞いはたびたびあるものではない。肉が固いので、細かく切れない。が故に大きなのもあり、小さなのもあり――この時は愛と理性で鳴り響く小町一族も火花を散らして戦った。だれと？　もちろん己がエゴイズムとの戦いである。大きなのを取らない。皆、小さいのばかりを選び、平均して2つ、3つ口に入れる。最後にとてもデカい肉が残った。ちらちら気にしつつも箸を下ろす。譲り合いの末、誰かが口に入れる。が、それはそれで良い。食後、僕らはそれぞれが己がエゴイズムを乗り越えることができた勝利者の歓びをコーヒーと共に、皆で一緒に味わう。かくして協調の精神と責任感は培われるのである。

いじましいことだと思われる方もあろうが、あくまでも一種の限界状況のなせるわざ。予期せぬどんなことでも起こりうる。僕は告白しよう。僕らはパリでイカの塩辛の小瓶を一つ買って、サハラ縦断中、毎夕食に各自一本ずつご飯にのせて、遥けき日本——というよりは日本食——への狂わんばかりの郷愁を、塩辛と共に噛みしめていたものだが——。食器入れの片隅に鎮座する小瓶に何度、皆の目を盗み悪魔の食指が動きかけたことか。

疲れた、疲れた。寝よう、寝よう。おや！　コオロギが鳴いている。

スタックは続く

11月28日

午前中にアガデス着。町はずれにキャンプ場があった。久しぶりに頭から水をかぶる。

冷たかったが満足。洗濯。これも満足。テラスでビールを注文。出てきたのは、バッチリ冷えた麗しのギネス。満足。

隣のテーブルでは、ワジで往生した時に助けてくれたフランス人たちがビールを飲んでいる。彼らの一人曰く「汝らはワジで我らに助けられた。しかるが故に我らにビールをおごる義務がある」。サンタさん曰く「立場が逆なら我らも汝らを助けたであろう。しかるが故に我らは汝らにビールをおごる義務はなく、汝らも要求する権利はない」てな感じで簡単にけりがついて、満足。

夕ご飯はスゴイぞ、スゴイぞ！　山盛りの天ぷらにビールがなんと1ダース。大満足。

同日《クマさん》

市場の近くには地元の子供たちがたくさんいて、車を見るとよってきて、いろいろ話しかけてくる。「ありがとう」も知っていた。

今日はサンタさんの誕生日とのこと。ビールをご馳走になる。おかずはバストマンの作る抜群の天ぷらと羊の肉のカツ。『満足な一日』。

11月29日《バストマン》

休養日。朝はゆっくり起きた。午前中は麻雀。午後は町で買い物。

11月30日《バストマン》

子供が車の周りに寄ってきて騒いでいるので、目が覚めた。道は100キロほどは良かったが、途中から悪路に入る。

同日

快晴。朝6時半、起床。アガデスを出発。ジンダール（Zinder）までの距離は407キロ。道はあると言えばあろう。ないと言えばない。灌木をぬって地面の堅そうな所をノロノロと。事前に調査し、しかる後トライするのだが、やはりスタックしてしまう。木の枝がガリガリと小町の体をひっかく。アガデス—ジンダール間は、アフリカの縦断中で最もしんどい行軍となった。

12月1日《バストマン》

朝夕は過ごしやすいが、日中は暑い。この辺りは、乾燥ステップ地帯。道はあるが、中央が高く盛り上がっていて、小町では走れない。道の脇を走るのだが、砂や穴が多い悪路である。時速10キロで走る。夕方には、エンジンがダレてきたので、早く泊まる。

同日《クマさん》

本日より師走。一日中砂地の道で、なかなか大変な道のりだった。夜はカレーを食べ、たき火をして話し合う。

12月2日《クマさん》

朝6時に起床し、エンジンを見ると、燃料ホースからガソリンがしみ出している。いろいろ調べたが、ホースの亀裂ではないかということで、テープで応急修理をして出発。約60㎞走って、簡易舗装道路に出る。ここまで来れば、第一の難関は突破だ。あとはジンダールまで約150キロとして、カノ（Kano）まで260キロ、そしてラゴスまで舗装道路で1000キロぐらい。

走ることもさることながら、風俗や自然が次第に、南へ下るにしたがって、変わってゆく。アラブ世界はタマンラセットまでだったが、やはり一つの文化を持った世界だけあって人間にも落ち着きのような物を感じる。旅行者が来ても、わいわいとたかってこない。しかし、アルリット（ニジェール）に入ると、いかにもアフリカだ。人間も開放的な感じ、その肌色も一段と黒くなる。車で通り過ぎても、現地の人たちが微笑んで手を振る。中には、美しい女性の姿を見つけ、ほっとすることも。とにかく目につく物のひとつひとつが、珍しく、楽しい。

今夜は、ジャガイモのサラダ、野菜炒め、みそしる、米。なかなかうまい夕食だった。

12月3日

ジンダールに向け出発。

舗装が切れてから、ひどい洗濯板をノロノロ進むこと1時間半。ジンダールに着く。西部劇映画によく出てくるテキサスかニューメキシコあたりにある町みたいだ。サンと輝く太陽。乾燥しきった大気と埃っぽさ。味も素っ気もない白いモルタル塗りの家が立ち並ぶメインストリート。てなわけで、町全体を支配する無味乾燥とした希薄な色調の中で、黒い肌の人々がやたらと目立つ。

同日《クマさん》

丸顔のいかにも黒人という感じの人が多くなった。

同日

それから、もう一つの嬉しい発見。果物の多様さと、それらの新鮮なること。なにしろジンダールにたどり着いた時、僕らは飢えと渇きで餓鬼の権化と成り果ててたもんで、食べ物は見つけ次第胃袋にぶっこみ、ギネスをあおった。

カバブー、牛の干し肉。そして思いがけず出現した果物類——。パイナップル、パパイヤ、グレープフルーツ、マンゴー、コカの実、メロン、バナナなど。これは思わず涙が出るほどの歓びではあったのだ。

パサパサパリパリしている町中とは対照的に、果物はみずみずしい光沢と、甘酸っぱい香りと、ぞくぞくさせるシャープな味で僕らをダウンさせる。パイナップルなんか、触れると息づいているかのよう。雨上がりの玉虫のように金緑色に輝くその表皮はしっとりとしていて、甘い蜜を分泌しつつ、あたかも僕らを彼女の住む楽園に誘っているかのようではないか。

小町の中は今や果物でいっぱいになり、さながらエデンの園だ。招かれざる住人ゴキブリ氏も恍惚としていることだろう。さあ、緑繁れる国は近いぞ。

豊かな国ナイジェリア

12月4日

朝方は寒かった。朝7時出発。約3時間走って、国境に着く。

「ナイジェリアへようこそ！」と検問所の係官がきれいな白い歯並びを見せて笑顔で僕

らを迎えてくれた。この国は、かつては英国の植民地だったので、英語がバッチリ通じる。ということは、とんとわからない仏語で四苦八苦することもなく、心に平安がもたらされる。と同時に、僕らの視野がグッと広まるというわけだ。心配していた高額のデポジット（保証金）を支払う必要のないことがわかり、ひと安心。さて、一路ラゴスへ。

ひさかたぶりに小町はアスファルトの舗装道路に乗っかった。この時の僕らの心境をわかってもらいたい。小町はもともと生まれも育ちも、山らしい山とてないアウトバーンの国、西独である。が故に起伏の激しい道には実に弱い。中にいる僕らはイライラして肩がこり、胃が痛くなるほどだ。しかし、平坦な道には強い。ましてやアスファルトの舗装道路に乗っかったとなれば、その走りっぷりは見事である。ノンストップで500キロ走ったぐらいでは彼女の心臓は乱れない。今や小町も僕らも夢見心地で、滑るように走っている。

道路の両側に広がっているサバンナ。所々赤茶けた地肌をむき出しにした荒野。サハラは遠のいたなあ――と、道路傍に高級乗用車が停まっている。周囲の荒涼とした風景とは不釣り合いに、ピカピカシャンシャンと輝いている。なんと、これが日本製だったのだ。ナイジェリアに入って最初に見た車が日本製とは。国境検問所内でも係官が充電器を指して言ってたっけ。「ホンダ！　メイドインジャパンね」。

さてお次は――純ナイジェリア産。鮮やかな極彩色の腰巻なんかしちゃって。頭に大きな鉢なんか乗せちゃって。プリンプリンと大変エネルギッシュ。

同日《クマさん》

ナイジェリアは豊かな国だ。国境を越えると、今までなかった農耕地がたくさん見られるようになる。人々が楽しそうに働く姿が印象的。そして、明るい。車から手を振ると、笑って手を振ってくる。

昼に、最初の町カノに着く。砂漠を越えてきた我々にとっては、とても大きな町に感じられた。人の多いこと、そして何より驚いたのは、日本車の多いことだ。トヨタ・ニッサン・マツダ、車を追い越すときは、東京の町を走っているような気持ちがする。やっと、文明のにおいのする世界に入ってきた、という感慨がある。豊かなナイジェリアの将来が期待される。

カノ泊。夜は久しぶりにステーキを食べる。

12月5日

夜3時まで麻雀をしていたおかげで、私は9時頃まで寝ていた。車は朝7時に出発しザリア（Zaria）に10時頃に着く。夜は、今日買った食器を使って、玉子丼を食べる。

同日《バストマン》

ガソリンが1リットル40円ぐらいで、破格の安さ。他の物資、特に輸入品は予想通りに高い。スパゲティが1ドルもするほどである。ナイジェリアは産油国だけあって、道路は立派に舗装されているし、ニジェールと比較して農業も盛んである。その上、各種の鉱石も出る。将来有望な国だ。ラゴスまであと730キロ。

猛スピード

ナイジェリアは豊かであると同時に、危険な面も。

国境からラゴスまでは、大英帝国植民地主義の遺産たるアスファルト道路を走らせてもらったものの、これが危険極まりない道行きとなった。ナイジェリア人の運転が滅茶苦茶なのだ。猛スピードでぶっ飛ばす。夜なんかヘッドライトを上げっぱなしで突っ込んでくるもんで、小町一族は肝を潰し、横道に逃げ込み、うち震える胸を鎮めるべくビールをあおって目を閉じるのみ。てなわけで、以後、夜は小町を走らせないことに決定。

後でわかったんだが、ナイジェリア人は総じて陽気、純朴、静穏にして、かつ活気に満ちた、要するにイイ人たちなのだ。そんな彼らがひとたび車に乗ると、野生に返る。無垢なる人間の宿命？　ひとたび逆上すれば必ずや血を見、血を見れば生か死か。所詮、先進国に住む人間は良きにつけ悪しきにつけ長い年月をかけて手なずけられ、去勢されているもんで、極端なことはできない。こっちの人はやっちゃうもんねえ。

道路傍には、事故車の残骸がゴロゴロしている。一度、ラゴスを出発して直後、ひどい衝突事故を目撃した。やらかしたばかりだ。煙がもうもうと立ち込め、仰向けになった車のワッパがクルクル回っている。車内にいた人たちは——おれは言うまい。

ラゴスに近づくにつれ、徐々に暑さと湿気が増大し、緑がいよいよ濃く繁ってくる。

夢に見たラゴス

11月7日にアルジェを出発した時には、ナイロビが約束の地であった。ところがサハラに突入し、洗濯板（のような道）が出現し始めるや、ナイロビは夢想の対象にこそなれ、希望の対象にはならなくなってきた。そうなるには、あまりにも形而上的な淡い存在になってしまった。なんたって小町ちゃんはかなり年増なのだ。

不安を感じる暇もないほど、僕らはサハラと密着していた。でもやはり心のどこかに不安は巣食っていた。つまるところ、しんどい日々が続いた。てなわけで「ラゴスだ」「なんとかラゴスへ！」となったわけである。

長時間かけて発酵させたラゴスへの思慕であるが故に、首都ラゴスは、あくまでも超高層ビルが立ち並び、高級ホテルのプールが一人200円で利用できなければならなかったのだ。

12月6日《バストマン》

湿気があり暖かいので、起きるのが遅くなった。今日はできる限りラゴスに近づきたいので、走りに走った。途中でニジェール川を渡った。蒸し暑くて日本の夏に似ている。ビールが安いのだけはありがたい。ラゴスまで230キロ地点に泊まる。

12月7日《バストマン》

夜明け前4時30分に起きて、走り始める。暗い道路は、ルール無しの滅茶苦茶運転なので非常に疲れる。9時30分ラゴス着。大きな町だ。マーケットにて買い物後、海岸（ビクトリア・ビーチ）に出てのんびりする。夜は恒例のステーキ。

同日

ラゴス入城。

多くの場合、理想というものは人を裏切る宿命にある。ラゴスの中心部に到着。超高層ビルなどないではないか。それは当たり前である。ここはニューヨークではないのだ。冷静さを取り戻し、あらためて市内を眺めれば、国の首都としての趣は充分持っている。それどころか、あらゆる種類の日本車が走り回り、黒人の密集している、喧噪と情念の充満する大都会ではないか！

ラゴスに着いたら、やりたいことが二つあった。

一つはアイスクリームを食べること。スーパーマーケットに入る。輸入品がやたらに高い。アイスクリームを買う。食べたぞ！

そしてもう一つはプールで泳ぐこと（本当は積もりに積もったアカを落とすこと）。強い希求は時として偶然を呼び込むものだ。一流ホテルのプール代が300円と、まあ理想に近い値段だった。泳ぎに泳ぎ、落としに落とす。翌日も行くが、どういうわけか閉まっていた。僕らのせいかなあ。別のホテルに行き、泳ぐ。

泳ぎ終え、ホテル前の駐車場で小町の掃除。食器入れの段ボール箱の中にゴキブリが2匹いた。ゴキブリらしい俊敏さと、ギラギラした羽の光沢は消え、息も絶え絶えというていであった。僕らは、彼たちが衰弱した原因について論じ合った。

「生命力バッグンのこいつらがねえ」

「寿命だったかな」

「食糧事情が悪かったからだよ」

「環境の変化に体がついていかなかったからだって」

「バストマンの発するガスのせいだ」

思えばどれも正しい。特にラゴスの蒸し暑さは強烈！　体中にバターを塗りたくられたようにベトベトする。

乾燥地帯から高温多湿地帯への、数日間での移動は、僕らをして心身共に狂わしてしまった。僕らはゼイゼイ言いながら、各国大使館へビザの申請。日本の大使館にも新聞を読みに行った。この日本大使館は、かなり立派な鉄筋コンクリート建築物で、駐車場も広い。

体長20センチぐらいのトカゲが数匹、ヒョコヒョコ駐車場を漫歩している。こいつらは木にも登る。僕らは、はやし立て、追い回した。意外や意外！　このトカゲ君、最初は素早く逃げ始めたが、ものの3秒とたたないうちに動作が緩慢になり、ついには進まなくなっちまった。横っ腹を膨張・収縮させ、ゼイゼイ。暑さのため、エネルギーの消耗が激しい

▲ラゴスの海岸にて。みやげ物売りと交渉中。

からだろう。この土地の生き物でもこんなだから、小町の中にいた砂漠産のゴキブリが瀕死なのも無理からぬことではある。

僕らもトカゲに学び、あせらず、ゆっくりゆっくり。

〈12月14日までラゴスに滞在〉

12月10日
大使館内で新聞を読んでいると、50歳がらみの大使がやって来て、アレヤコレヤと脅かし、アフリカ横断はやめるべきだと申される。僕らも大いにビビる。が、次の大使の言葉で大いに安堵の胸をなで下ろす。曰く「ところでラゴスまでの道は舗装されていたかね」だとさ。要するに、この人はラゴスから一歩も外に出てないいんだな。
下町の市場に行く。ゴチャゴチャした汚らしい所だが、なんたって活気がある。でっかいバナナを揚げたのをムシャムシャ食いながら、まずは見学。女性がイイ。豊満な肉体派がゴロゴロいるのでゾクゾクしてくる。笑い顔がなんとも豪快にしてふくよか。これこそ笑い顔である。思い返せば、アラブの人たちの表情は固かったなあ。
市場の片隅では、青年たちがちゃちなレコードプレイヤーを引っぱり出してきて、踊り始めた。同じレコードを何回もかけ、延々と踊る。情緒纏綿という踊り方ではない。クールなのだ。ただ小刻みに腰を振り、手を開いたり閉じたりしているだけなのだが、それが滅茶苦茶セクシーなのだ。バストマンなんか問題じゃない。付近に住んでいる仲間も踊りに加わる。その加わり方もニクイ。衒いがない。自然である。黄昏時のそよ風か。はたまた里芋の煮っころがしか。これは、彼ら黒人の持つ無形の財産である。

同日《クマさん》

朝7時に起きるが、昨夜は、どうしたわけか、胃が痛くて眠れなかった。昨日、泳ぎすぎて、胃を冷やしたためらしい。今日は一日、あまり食欲もなく、自重した。

ラゴスの昼は暑い。そして、湿度も高く、日本の夏のようだ。

冒険者

僕はサハラを少々、大げさに書き過ぎたようだ。ヨーロッパ人などは実に気軽にサハラにやって来る。地理的に近いということも手伝っていよう。とは言っても、金と暇とサハラ縦断への意志を持っている人たちに限られるから、数は多くない。

ちんまりとしたヨーロッパからやって来る人たちにとって、サハラは彼らをして開放的な気分にさせ、いくらかの冒険心を満足させる、広大なリクレーション・エリアなのだ。僕らにとっても、まあまあオモシロイ旅ではあったのだ。時として自然の法則を守らないパーティが、道に迷って昇天することはあるらしい。

ところで、現代に生きている僕らは、冒険的な行為に憧れながらも、同時にそれが自分にとっては幻想以外の何物でもないと感じている。〝冒険〟という言葉は、僕らの世界の中では反故と成り果ててしまっているかのようだ。今や僕らは〝2DKプラス3C(カー、クーラー、カラーテレビ)主義〟を金科玉条として崇めるべく洗脳され、徹底的に飼い馴らされた機械的動物であり、自らの人生を商品として、無感動に組織社会という名のおぞましき大怪物に売り渡すのである。

僕らは本当に英雄的な精神、冒険的な行動能力を失ってしまったのであろうか。思えば確かに現代では、世界中の何処も知られ尽くされ、僕らは地平線の彼方が絶壁の深みでないことを知っている。

だが、だが、だ! それにもかかわらず僕らの心の奥底に冒険的な行為に対する熱情が渦巻いていることも否定できない。現在でも依然としてヨットで一人、太平洋を横断したり、サハラを縦断したり、北極圏を犬ぞりで横断するなど、幾分軽薄な冒険的行為が噴出しているのである。

この熱情は理性では抑制できない。また、理性で抑制できるものは、この種の熱情ではない。これは人類が地球上に発生して以来、脈々と流れ続けているエネルギーなのだ。大昔、地球がまだ若く、所々で熱く煮えたぎっていた頃、僕らの祖先たちの生活は、今日的な意味合いで、冒険と呼ぶにはあまりにも冒険的な生活だったに違いない。生きるためには命がけだったに違いない。そんな祖先が、僕たちの内部に延々と植えつけた血こそ、冒険能力なのだ。であるが故に、冒険とは何よりもまず外面的肉体的な行為であり、内面的精神的なものの探究を言うものではない。

現代において冒険とは、いったい何を指している言葉か。いかなる冒険が残されているか。冒険者とは誰を、いったい指していう言葉か。

現代もへちまもない。ゼウスの神慮によって闘ったアキレスも、道祖神の誘惑に心を狂わせた芭蕉も、孫悟空も倭建命も、スコット、アムンゼン、コロンブスも、アラビアのロレンスも、カサノバも、モハメッド・アリも、また多くの無名の冒険者たちも、可能性がいっぱいあるようで結局、何もないこの世界の中で、ひたすら人類の古代的エネルギーを燃焼させていたのだ。彼らは、それぞれに自らの行為の基準、目標を持ってはいたが、そんなものは取ってつけたものであり、彼らの行為そのものが常に最終目標であったのだ。

この熱情を冒険本能と名づけてもよかろう。闘争本能の方は、現代でも依然、栄華を極めているが、冒険本能の方は、映画と漫画と小説と幾人かの目覚めた人々の中以外では、閑古鳥だ。現代では、人間は禁断の木の実を食べ過ぎた結果、行動のためには常に動機づけを必要とし（教育ママゴンとモヤシの関係みたい）、いたずらに認識を求める矛盾だらけのパラドックスと化してしまった。

〝原罪〟からの、〝業〟からの解放！　再び僕らは人類の素朴な信仰の壮大なロマンを取り戻さねばならない。どうすればいいか。答えはしごく簡単。冒険能力を開発するのだ。そのためには、行けばよい。およそ幸福というものは、本質的に詩であり、詩は、「行く」という行為そのものなのだ。これはイズムや宗教やフロイトやマルクーゼや……等々、この世に存在するいっさいの理屈以前の核である。人間は、この核に動かされ進化発達し、同時に古代的魂へと回帰する。この核により宇宙の摂理と交わることができ、自然を観、自らも自然となりえるのである。

ラゴスにて時事通信社の特派員である長沼節夫氏と知り合い、彼氏のアパートに夕食をご馳走になりに行った時、ラクダ君（上温湯隆君）がいた。彼はラクダに乗り、単独でサハラ砂漠７０００キロを横断の途中、壊血病にかかり、当時療養中であった。物腰の静かな、口数の少ない21歳の青年。

「ラクダはね、向こう気が強くって、天邪鬼で、だから左に行こうと思ったら、手綱を右に引くんですよ。そうすれば、ラクダは嫌がって左に行くんです」

彼を古代的な英雄の流れを汲む冒険者の一人に加えたい。彼は再度、サハラ横断に挑戦し、燃え尽きた。

1975年5月×日（我々が会ってから5ヶ月後）

サハラ砂漠と完璧な星座が、彼の墓碑銘となった。

カラシに代わる物

3か月前、ミュンヘンのインドネシア料理店で、それとは知らず激烈なるカラシを口に放り込んで以来、僕らは狂いだし、何やらバタバタやり出したかと思ったら、ジブラルタルを渡り、サハラを南下してしまった。

そして今、ラゴスの市場にて黒人女性の豊満なるたらちねを、目をパチクリさせながら見つめてたもんで、幾分自覚の衝動に駆られ、加うるに下痢止め薬を飲んだつもりが、下剤を飲み、悶絶のうちについには正気に戻り、アフリカ横断を前にして、仲間たちの心境は知らねども、僕は少々不安になってきた。

ラゴス駐在大使の幼稚なアフリカ観から発せられた嚇し文句を一笑に付すには、僕もまた幼稚に過ぎた。疫病、猛獣、首狩り族、毒矢の雨……。ラゴスの蒸し暑く寝苦しい夜は、〝暗黒大陸〟を予告するに充分な迫力があった。

でも、ある時僕は、「ナイロビに着いたら、日本酒をたらふく飲んで、冷奴食っちゃうぞ！ウヒヒヒヒ」と。例によって軽薄なことを口走り、そう言った以上腹を決めざるを得なくなった。もう一度狂いなおさないといけない。ミュンヘンでのカラシに代わる、何か奇天烈にして霊験あらたかなるものを探さねばならない。


ラゴスの市場は、マーケット・マミーの天下だ。彼女たちは大きな腹をかかえ、子供たちを引き連れ、そりゃもう、ようやる！

「中国人、こっち来い！　ウワッハッハッハ」

「日本人だい」

「?……ウワッハッハ。玉ねぎ、買いな」

「高すぎる！　買わないよ」

「あたいの娘はどうだい？　ほしいなら、あげるよ。ウワッハッハ」てな具合だ。

　市場内で食事もできる。昼がやって来た。僕らは交代で食事へ。この時、僕は下痢の真っ最中とて食う気はなかったが、根がいやしん坊なもんで、結局、気が付いたら大きな金だらいの前にいた。

　一方の金だらいにはご飯が、もう一方のは何物かがカレーで煮込んである。ムシャムシャ……魚肉にしては少々しつこい。豚でも牛でもなし——。何やらマシュマロのようにぐにゃぐにゃしていて、イカかなとも思った。まずくはなく、むしろコクがある。ともあれ食べ終え、さて料金をと財布を取り出した時だ。これがよぎったのは。

　僕はあえておばさんに問わなかった。信じまいともした。が、信じまいとすればするほど、信じざるを得なくなった。トカゲの肉だ！

　これで、また狂った。おかげで下痢が治った。

▲陽気な現地人に囲まれた健さん。

密林へ

12月14日
ラゴスを出発。僕らは再びアフリカ大陸の地図上、かすかに記された点と線を頼りに突っ切ろうとしている。
僕らはアフリカを垣間見ることができるか。ただただ突っ走るだけの夢遊病者に過ぎないか。ままよ。僕らは皆、まずは健康、元気溌剌、たぎり立つ火の玉。
同日《バストマン》
6時30分、霧に煙るラゴスのビクトリア・ビーチを出発。イバダン（Ibadan）へ行く幹線道を東にそれると、急に道が悪くなる。交通量は多く、マナーは無し。ひどいものだ。夜はベニン・シティ（Benin City）郊外の小道に泊まる。

▲ビアフラにて。ナイジェリアは豊かな国。ニジェール川には立派な橋がかかっていた。

12月15日

道は穴ぼこだらけ。道路の両側は、もはや全くの密林地帯。無造作に伸びた熱帯植物特有の大きな葉が道路を取り巻き、さながら坑道を走っている感がある。

サハラでは、僕らは投げ出されてあったが、ここ密林地帯では徐々に閉じ込められていくようだ。換言すれば、サハラが褐色に広がる砂の海とすれば、熱帯ジャングルは毒々しいほど脂ぎった緑の海だ。

強烈な陽光と木陰との交錯が、視界を異様にピリピリとしたものにしていく。

正午少し前、ビアフラ（Biafra）を通る。今日は日曜日。教会に急ぐイボ族の女性たち。黒い肌に極彩色の着物がよく似合う。

高射砲や飛行機の残骸を見つける。

午後4時30分、オロン（Oron）着。そこからカラバール（Calabar）までは、渡し船で2時間。ギニア湾は、ロウを溶かし込んだような鈍い色をたたえている。フェリーは滑っていく。岸辺は、うっそうと茂る密林。

▲フェリー乗り場にて。目の前はギニア湾。

赤道直下の日没は早い。日輪が急速に傾き始める。密林全体が茜色に染まったかと思いきや、蒼白にまどろんでいく。

対岸の密林の上を、黒々とした一筋の厚い線が、無限の彼方に走り去っていく。その中から夕映えを受けて、一点のシルエットが飛び出す。この時刻、密林全体が胎動する。

状況の説明③「ビアフラ」について

ビアフラは、ナイジェリアの東南部にある地方の名称。この地方で、1967年から1970年にかけて、「ビアフラ戦争」と呼ばれる動乱があった。この戦いは、ナイジェリア国内で、イボ族の人々が東部州をビアフラ共和国として分離・独立させようとしたことによる内戦である。この戦いの中で、ビアフラは包囲され、食料・物資の供給が遮断され、大規模な飢餓が発生した。そして、飢餓に苦しむ子供の写真などが報道され、国際的な問題となった。厳しい飢餓と栄養不足から来る病気、そして戦闘などにより、少なくとも150万人を超えるイボの人々が死亡したといわれている。小町号がビアフラを通過したのは、その戦争の4年11カ月後。まだ、傷跡の生々しい時であった。

第5章 カメルーン・セントラルアフリカ

▲カメルーンの集落。

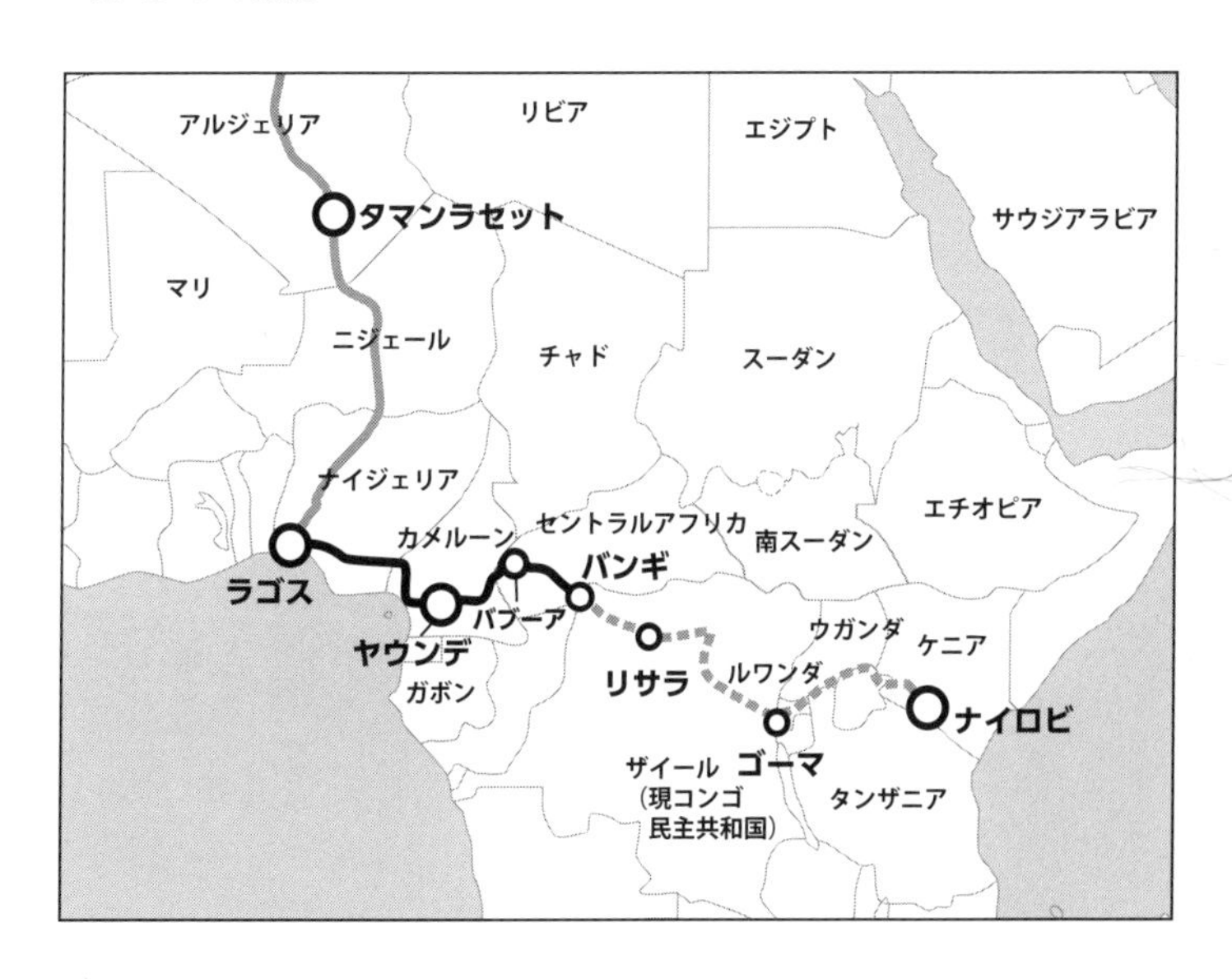

闇夜の歌声

12月16日《クマさん》

ラゴスでカメルーンのビザが取れなかったことを懸念していたが、カメルーン側のイミグレが10日間のビザをその場でくれたので、無事、国境を通過することができた。

イクポット（Ikpot）という村に、一夜をとる。こうした村に泊まるのは初めての経験。車が到着すると同時に、たくさんの子供たちが車を取り囲み、うるさい。しかし、とても無邪気な子供たちだ。一緒にサッカーをして遊ぶ。話を聞きつけた村人たちが、次から次へと車のそばにやってきて、「good evening」と声をかけてゆく。健さんは、村人に、自分の娘を嫁にもらわないかと、声をかけられる。うるさくてしょうがないが、楽しい一日だった。

同日

▲健さんと現地の子供たち。女の子ばかり？

夜明けと共に出発。昼過ぎにナイジェリアの国境を通過。カメルーンに入る。とたんに道幅が狭くなる。やっとこさ小町が通れる程度。道の両側は、例によってチミモウリョウの天国。5メートルと入り込めそうもない濃厚なる密林。

道に面して、所々にひとかたまりの民家が点在している。が、小町を休ませる空地は見つからず、結局、夕方まで細い道は続いた。しょうがないから民家の庭先でも借りようか、なんて言い合っている時、折よくかなりデカイ村に来た。広場を見つけ、小町を停める。子供たちが駆け寄ってくる。次に大人たちが。お互いに笑顔で交信し合うのに、ものの5分とかからない。

これ以後の密林の旅を通して、僕らを感嘆させたその第一位に、道路脇に生活を営む人々の、僕らに対する率直な信愛の情を冠したい（ただし、例外が一、二か所あった）。

このあとのセントラルアフリカでのことだ。暗闇の中で小町を停める場所が見つからず困っていた時、民家のおじさんが松明で庭先に誘導してくれたっけ。

▲明るい子供たち。サッカーは子供たちに大人気。

一族郎党が集まり、たき火を囲んで単純な会話。長老が仏語で、彼ら氏族の言葉を教えてくれる。彼氏、意外と物知りだったなあ。印象的だったのは、集まった人々の穏やかで、物静かな笑顔。日本でもみかけることのできそうな、気のいい好々爺のおじさん、おばさんの顔がそこにはあった。

血縁集団と言ってもいいような村落社会では、人間相互の信頼の絆が強く育まれてきたからだろうか。あるいは白い肌をした食人種が、彼らを去勢してしまったのか。ともあれ、近代人がエゴイズムや疑心暗鬼の代償に売り渡した、人間の素朴な信頼を、人々は未だに保持している。

しかし、インテリは何処でもダメだ。カメルーンのこの村でも、小学校の若い先生の屈折した眼差しだけは、「白人の腰巾着め」と、我々に対して無言の反抗だ。

クマさんが、子供たちとサッカーをやり始めた。先生の表情は幾分か和らぎ、「よかったら教室で寝てくれ」と申し出る。僕らは深く感謝する。が、教室は使用しなかった。

小町の中での食事。コーヒーとタバコの香り。けだるい僕らの心身。ふと道路を見やると、人々が松明を掲げて、何処かへ出かけていく様子だ。

「おれたちを釜ゆでにするか黒焼きにするか、の抽選会かな」いや、冗談はやめにしておこう。

夜の8時頃、合唱が始まった。時として女声が明るく、軽やかに。時として男声が重々しく、荘厳に。そして四声が和す。僕らは耳を疑った。実に素晴らしいハーモニーだ。太鼓が7ビートのリズムを打つ。心臓の鼓動より早く、熱っぽく。

ダイナミックな歌声は、森閑とした密林に延々とこだまする。それは地の底から湧きあがるがごとき、太古の昔からなる自然の息衝きだ。窓の外は漆黒の闇。それを背景に無数のホタルが螺旋階段を創っている。

僕らは小町の中で眠りにつく。が、眠れない。歌声は、いよいよ僕らの内なるところへと沁み込んでいく。

12月17日

朝、僕らは目覚める。少したって歌声は止んだ。7時だ。集会所へ行く。

少年が死んで、昨夜は通夜だったのだ。

「君らも来ればよかったのに」と、おじさんがヤシの実酒の甘ったるい吐息と共に言う。惜しいチャンスを逃したもんだ。それにしてもダイナミックな鎮魂歌だったこと。この村でいちばん太っているお母さんに、ブドー酒の空きビンを一本プレゼントして僕らは出発した。

同日《バストマン》

ジャングルは、朝の湿気と霧がすごい。日中は日本の夏にそっくりで暑い。所々に竹藪がある。

道は極めて悪く、穴ぼこだらけだ。終日、でこぼこ道を走る。ミシュランの地図では舗装になっているのだが。夕方、寝ぐら探しに苦労。プランテーションの部落に入ったり廃村に入ったりしたが、結局、ポリスのチェックポイントで寝る。今夜も蚊に刺されそうだ。

カメルーンの二都

12月18日《クマさん》

午前中にドゥアラ（Douala）に着く。カメルーン第2の都市だけあって、かなり大きい。その日は、アクアパレスホテルのプールにて、半日を過ごす。斎藤氏はラゴス以来水泳に熱中し、一人で泳ぎまくっていた。

ここドゥアラも、フランスの植民地の名残をとどめ、フランス人がたくさん生活しているようだ。
泳ぎ終わって、市場へ行ってみると、現地の若者たちが車に群がってきて、話しかける。
「おまえのアドレスを教えろ」としつこい。その中の一人はビアフラ出身だという話で、手には、戦争の時の傷があった。

12月19日《バストマン》
6時出発。連日の蚊のかゆみが消えずに、まいっている。日中は極めて蒸し暑い。エデア（Edea）という村で、水・食糧の補給。道は良好。平均時速40キロでの走行が可能。ただし、ホコリがものすごい。暑さに耐えかねて、うちわを作った。夕方、ファンベルトが切れた。民家の下の石切場のような所に泊まる。

12月20日《クマさん》
首都のヤウンデ（Yaounde）から20キロくらい手前の地点を出発。朝7時頃、ヤウンデ

▲クマさんの日記より。

に着き、ザイール大使館を訪れるが、ビザはもらえず。バンギ（Bangui）にてもらえるとのこと。

ヤウンデを出たところでヒッチハイクのイギリス人を拾い、そのまま走り続ける。彼（サイモン）もナイロビに行くとのこと。バンギまで乗せていくことになる。飄々としたイギリス人だ。ナンガ・エボコ（Nanga-Eboko）という村の郊外にて泊。

▲サイモンと食事をする３人。左から健さん、バストマン、サンタさん。

12月21日《クマさん》

朝６時半発。昨夜は下痢気味で、夜中一回起きる。午後１時頃ベルトゥーア（Bertoua）に至り、ぎっしりと食料を買い込む。あまり良い道ではないが、１日で約220キロ走る。

全き自然

埃っぽい凸凹道を突っ走っている限り、いくらかは文明の匂いを嗅ぐことができる。自転車、小型ラジオ、石油ランプ。加うるにフランス語。ちょっとした町には小学校があり、教会があり、市場がある。

しかし、それらを除けば未開地帯と言ってよい。とは言っても、同じ地球に住む人間。家の造りなど20年前に行ったおふくろの田舎（信州、伊那谷）を彷彿とさせる。わらぶき屋根。黄褐色の土壁。庭に広げられた豆や芋の類。それらを啄む鶏。家の戸口には老人たちが座っている。

池には洗濯女。子供たちは通り過ぎようとする僕らを笑顔で追いかけ、手を振り、叫ぶ。「ウンボッテ！」（リンガラ語で「こんにちは」）。

瞠目すべきは、道の両側、民家の裏手に広がる緑の大海原。夜空に輝く無数の星を眺めたことがあろう。人はその完璧な美に打たれ、そして何故か徐々に眩暈と共に寒々とした心境に駆られる。この緑の大海原は、同様の感覚をもたらす。全き自然とはそんなものだ。同じ自然でも、密林地帯はサハラとは様相が異なる。サハラは生物を拒絶する世界だ。が、密林は繁茂群棲する生。言うなれば、過保護な自然。手を伸ばせば、バナナが、ヤシの実が、パパイヤがある。密林に住む人々は天衣無縫な自然の一員。同時に軟弱な子供だ。

ここには時の流れも、栄枯盛衰も、試行錯誤の青春もない。あるのはお天道さまと青く澄み渡る空と、緑の氾濫。そして、全き沈黙。

屁理屈をば一席。いわゆる文明人は自然と縁を切り、技術文明を発達させた。暮らし向きは良くなった。が、代償が大き過ぎた。原水爆の恐怖。大量虐殺。環境破壊。無感動な人々。気が付いたら、青い鳥が死臭を放つ禿鷹にすり替わっていた。「暗黒大陸」という呼び方も、文明社会から見た勝手な決めつけ。

密林に住む人々は、自然の中で孤立した存在でない。彼らは自然を肌で触れ、肌で感じる。彼らは今なお野生の触覚で人間を嗅ぎ分ける。魂の底からなる出迎えと別れと――。彼らの波動がビリビリと伝わってくるもんで、僕らはいたく感動し、精一杯の笑顔で応える。

彼らの喜色を満面にたたえた表情は、実に旨そうな食事ぶりは、楽しげな仕事ぶりは、僕らを引きつける強い磁力がある。文明人が見失った世界。ホンモノの世界だ。

そんな彼ら（カメルーン、セントラルアフリカ、ザイールの人々）の口からフランス語が発せられる時、僕らの背筋にゾクリとしたものが走る。西欧の野蛮人どもがアフリカ大陸を蹂躙して後、アフリカ人は何を得、何を失ったか。そんなデカい事柄は、車で突っ走るだけの僕らには言葉にする権利はない。が、この際言っちまえ。

アフリカ人は、ラジオと石油ランプと着物の代償に、自分たちの大切な物を売り渡したのだ。そのことが僕らをゾクリとさせる。そして、いずれ彼ら自身が砂を噛むような悔恨と共に、それを悟るであろう。民族が長い年月を経て培った言語や宗教は、祖先が残した最大の文化遺産だ。大切にするべきだと思う。


ところで、僕らは、かくなる素朴な自然状態にもろ手を挙げて飛び込めるか。密林に住む人々が時報のない社会にもかかわらず時計を欲しがるのと同様、むなしい願望だ。僕らはすでに甘く苦々しい果実をかじった以上、回帰不能。が、僕らもまた、人間である限り自然としての存在だ。反自然状態に置かれれば置かれるほど、僕らの心に激しく渦巻く自然的なものへの郷愁は、未開社会の人々における自然状態とは次元が異なり、言うなら、それはヘビの誘惑に負けてアダムがリンゴをかじった以前の、人間の理性を超えたところにある整然とした混沌、つまり神の始原世界への、人類の魂の遠い故郷への、哀しい問いかけである。

この問いかけられる自然は、失われた事実としての過去の状態ではなく、現代の僕らの生活の中に隠されている。それは本質的なる自然とでも言おうか、いずれにせよ、時間、空間を超越して理解されねばならない核としての自然だ。だが、僕らは所詮風にそよぐ葦。理性と感性とを尽くして安心立命への努力をする以外、光明への道はなかろう。

だったら密林に住む人々は、そのまま素朴な自然状態を続けていく方が幸福。ってのが、僕の身勝手な心境。

あんまきとヤブ蚊

12月22日《バストマン》
例によって、6時出発。標高が上がってきているためか、久しぶりに霧が出て、早朝は運転しにくかった。
同日《クマさん》
カメルーンとセントラルアフリカの国境に向かって一日中走る。約200キロ。夕頃、ガルア・ブライ（Garoua Boulai）という村で国境を通過。カメルーン側のオフィスで、らちのあかない役人のために、2時間あまり待たされる。日曜日のため、休みだったのだろう。酒でも飲んでいたのかもしれない。ようやく、セントラルアフリカに入る。

毎日走っていると、部落・種族によって、顔かたちが様々なことがわかる。今日の部落は、女性のチャーミングなことが目立つ。面長で、顔立ちの整った女性が道ばたで手を振る姿はいいものだ。それから、この辺は、アラビア帽のモスリムが目立つ。

12月23日《クマさん》

昨夜は、子供たちが車の周囲を取り囲んで、ガヤガヤ話していた。サンタさんも、例の調子で、身振り手振りで話す。おりから泊まったベロコ（Beloko）の村は野焼きをしており、夜空に赤い炎が美しかった。

そして、夜12時近くまで、バストマンのあんこと、健さんの小麦粉の皮づくりで追われた。抜群のあんこでした。

今朝は昨夜のあんこを食べました。アフリカにて、あんまきを食べる幸福。

今日は途中、パスポートチェックをバブーア（Baboua）で済ませ、ブーアル（Bouar）へ

▲クマさんの日記より。

向かう。

ブーアル、午後8時着。昼食を抜いたため、サンタさん、サイモン、多少不満気味。ブーアルは標高1000メートルくらいにある小さな村で、奇妙な岩がごろごろしている。良い村だ。寝場所を探して、10キロばかり走る。途中、美しい夕日を見る。

また、途中の村には、白人の神父がいて、その姿がとても印象的だった。

同日《バストマン》
昨夜のあんこ作りに疲れて、朝はサイモンに起こされるまで寝坊してしまった。一日中細い道を飛ばす。途中、橋が落ちていたり、道が流れていたりして大変だったが、夜、なんとかブーアルに到着。セントラルアフリカは、今のところ、どこへ行っても田舎くさくて素朴で貧乏である。食糧もあまりない。けれど、それだけ一層胸にしみるものがある。

夜はブーアルの先の小さな村に泊まる。風邪を引いたらしく頭が痛い。

12月24日
夢の中で雪ダルマと競争している最中に目覚めてみれば、ここはアフリカのど真ん中。一瞬の転回に血が沸き立つ。朝もやが緑のドギツさを弱め、加うるに模糊とした意識も手伝って、これも夢かと思う。が、そうではなく、待ちに待った朝が来たのだ。扉を開け、密林を覆っている濃厚な大気を吸う。静かだ。

小町に戻り、習慣的に窓ガラスを見る。やぶ蚊だ。パンパンに張った腹を陽光が貫く。実に鮮やかな赤だ。ざっと見積もって50匹。怒りを込めてぶっ叩く。ラゴスを出発した、その日以来、やぶ蚊とブヨには悩まされ続けている。痒いの痒くないのって、もう。小町の僕たち仲間同士が相手の月の表面のごとき体を見つめ合って、鳥肌を立てているという始末だ。

さて出発。今日は12月24日。クリスマスイブ。セントラルアフリカの首都バンギまで、200キロ地点。


道路沿いの民家の庭先では、朝餉の準備だ。ゆったりとした淡白色の煙がたなびいている。ここいらの子供たちの腹はデカイ。タロイモばかり食っているからかも。ナイジェリアよりカメルーン、カメルーンよりセントラルアフリカの方が生活ぶりが貧しそう。と言うよりは、より自然に密着しているみたいだ。

孔子は「七十にして心の欲する所に従って矩をこえず」とのたもうたが、こちらの人は生まれ落ちた時からそんな感じだ。衣食足りて（とは言えないかもしれないが）礼節を知る人たちばかりだ。

家の造りも、小さく貧相になってきている。道と言うには道がかわいそうなほどの道が続く。凸凹で、ものすごいクレバスが所々にあり、おっかなびっくりでそれを跨ぎ、通りぬけるって具合だ。橋が壊れていて、修理するのに半日かかったこともあったっけ。

話は変わるけど、ツェツェバエってのがいる。肌にとまった時、チクリと刺せば、そいつはたいていツェツェだ。運が悪ければ眠り病にかかる。僕は眠ることは大好きなので、これで死ぬなら本望と開き直っている。ハムレットも言ってるよ。「死は眠りにすぎぬ。それだけのことではないか」。眠りつつ昇天なんて美的だ。文明世界にごまんといる自殺志願者に売りつけたら大儲けできることだろう。

マラリアで死ぬのは嫌だったので、サハラに突入して以来、キニーネを毎日飲んでいる。めちゃくちゃ苦い！　飲み過ぎると肝臓がイカれるらしい。が背に腹は代えられない。何せ今でも地球上での年間死亡者200万以上と、病気による死者の中では断然トップなのだ。

同日《バストマン》

途中は道が良く、一部では時速70キロで走行できた。夕方、ヤロケ（Yaloke）村に着き、郊外で泊まり。クリスマスイブなので、村で買ったビールを飲む。ホットクリスマスもいいものだ。明日はバンギに着けそうである。

密林の夜

さて話を密林に戻そう。日没は急速にやってくるので、早めに小町を停める場所を確保し、夕食の準備。できあがった頃、密林に始原的な夜のとばりが下りる。

ただひたすら胃袋につめ込むだけの食事だ。ガツガツ、ジャリジャリ、ゴリゴリ。歯と米にまじった砂とブリキのおわんとスプーンの奏でる狂奏曲。題して「アフリカの悪夢」。最初は胸を締めつけられるような抵抗を感じたが、しだいに情が移り、今や噛みしめるように僕らは聞き入る。

ボヤッと鈍く光る室内灯の下、額に汗を滲ませたむくつけき男が4人、前かがみになり、無心に食べ物を貪っているサマを現地の人が覗き見たなら、彼らの眼には野獣じみた怪物に映ることだろう。ここはアフリカ。漆黒のど真ん中に今、小町は浮かんでいる。

「今夜のコーヒーの味はまた格別」

「きょうはかなり走ったみたいだな。地図見せてよ。バンギまで残り100キロってとこかな。ナイロビはどこ？　この地図にナイロビ載ってないね。そうか、別の地図帳の方か」

「ナイロビに着いたら飲むぞ！　日本酒をな。〝赤坂〟でだ。芸者をあげて、ウシウシウシ」

「芸者って黒人か？」

「黒人の着物姿、見たことある？」

「ない」

「おれもない！」

「今日、空きびんと交換した卵な。4個とも腐っててダメだったけど、あれ、鶏の卵にしては小さかったなあ。栄養失調だぜ。あるいは――」

「ヘビの卵」

「ヘビは卵生か？　そうか爬虫類か」

「だけど、あの村はよかったぜ。おっさんが干し肉くれたし。それから3人連れの女の子が、車の周りを行ったり来たりしてただろう。3人とも、スラッとして美人だったよな。ここいら辺の女性の顔は、どちらかというとポチャポチャとした感じだね」

「向こうは松原智恵子型。こっちは都はるみ型」

「なるほど」

「早く風邪治ってくれないかなあ。頭がズキズキして、もう……。こうやってよ、頭を横にすると、スーッとして良い感じだ」って調子のたわいのない会話だ。が、それも長くは続かない。各自がモノローグに耽り始める。日記を書いたり、地図で行程確認をしたり、食器をかたづけたり、ＢＢＣの日本語放送を探したりする。

扉を開け、外に出る。立ち止まることは許されない。やぶ蚊やブヨの餌食になるから。前方からブーンという羽音が聴こえてくる。蚊柱だ。ぶち当たると悶絶の極み。カチン！でっかい羽虫がおでこにぶつかる。見上げればホタルの乱舞。その遥か向こうは星の輝き。僕らには確かに感じられる。広大な密林全体が、太古の昔から沈黙のリズムを保ちつつ息づいているのを。陽が昇ると共に焼けつくような緑の海に、陽が沈むと共に漆黒の闇に沈黙のエネルギーが木霊する。今、この闇に包まれ、森閑とした密林の中では、無数の生物が息づいているに違いない。夜行性の生き物は暗躍し、ゴリラや鳥たちやカメレオンは無心に眠っていることだろう。明らかにここは〝思索の世界〟ではない。〝生きる世界〟だ。であるが故に、ここに繁栄の可能性はない。つまりは滅びる宿命から免れている。自然よ、永らえろ！

４人のうち誰かが決意を固めて叫ぶ。
「寝ようぜ！」

まず小町の扉を開け、殺虫液を噴霧する。扉を閉め、3分待つ。しかる後、飛び込む。殺虫液など気休めに過ぎない。やぶ蚊は何処からか唸り声を立てて突入してくる。室内灯のケースは、3日もすればやぶ蚊の死骸でいっぱいになるほどだ。

ムンムンする暑さにもかかわらず、僕らは着込む。毛糸の靴下、ヤッケ、トレパン。着物の上から殺虫液をかけるので、ピカピカジトジトしている。顔には、ニジェールで歯磨きと間違えて買ったシェービングクリームを塗りたくる。いくらかは蚊よけになろう。そして寝袋に入る(いつも入って30分で脱出することになるのだが——)。

湿気が飽和状態を通り越して水滴となり、それが天井からポタポタ落ちてくる。夜明けが本当に待ち遠しい。

これしかない!「ナイロビだ。広大なサバンナを闊歩する野生動物たちだ!」。ただ一途に思念する。今や一切の思考、一切の情緒は中断され、横隔膜の規則的な反復運動が僕らの生きている証。

バンギの日々

12月25日

今朝は、例によって、6時起床。割合良い道を200キロ近く走って、バンギに入る。時刻は午後4時30分。

バンギの少し手前に検問所があった。僕らが日本人であると知り、係官は眼を輝かして叫ぶ。「カラーテ!」

このひと言が、僕ら自身の安全のバロメーターだ。どこの国でもそうだった。子供たちが僕らに向かってニヤニヤしながら〈カラテ〉のポーズをとる。すると僕らはホッと緊張を解いたものだ。その国では、僕らは神にも等しき超人なのだ。

国としての体裁を繕うべくつくられた首都バンギ。市内をひと回りするのに、ものの20分もあれば充分。建築物とて、ホテルと各国大使館と役所ぐらいなもの。が、それぞれの建物が濃厚な緑を背景に、あるいは前景にして美しく浮かび上がっている。僕らにとっては、久しぶりに辿りついたオアシスには違いなかった。

ホテルに行き、まずはひと泳ぎ。驚いたことに、ロビーにはテレビ受像機が置かれてあり、その中では半裸の黒人女性があまた踊っているではないか。が、ナレーションも筋もあったもんじゃない。受信状態も悪く、途切れ気味。おそらく市内には受像機が50台あるかないかってところだろう。

同日《クマさん》

クリスマスのため店は閉まっていたが、バンギは、静かで美しい町だ。夕食はベトナム料理の店でカレーを食べた。久しぶりのレストラン料理でおいしかった。

夕方、バンギの町で、スイス人のVW（サハラで助けてもらった）に会い、再会を喜んだ。かれらはカノからチャドを回って、ヤウンデに下ってきたらしい。エンジンオイルが漏れて、多少車の調子が良くないようだ。共に、ホテル前の空き地で泊まる。

12月26日《クマさん》

ザイール大使館へ行く。ビザ申請のあと、今年3月にできたばかりの日本大使館へ行き、新聞を読む。

大和田代理大使の話によると、バンギには、日本人は6人くらいしか住んでいないとのこと。

同日

車で来たのは僕らが最初とのこと。ヒッチハイクで来た花岡実君は、3月10日、チフスのため、ここバンギで永眠。「赴任して最初の仕事がお墓づくりでした……」と、大使がしみじみと語る。

同日《クマさん》

花岡さんは、ヒッチハイクの途中、カメルーン国境付近でチフスにかかり、どうにかバンギに着いたが、死んでしまったそうだ。我々は自動車に乗った比較的楽な旅だが、アフリカ奥地のヒッチハイクはきついことだろう。昼頃みんなで墓参りをし、彼の冥福を祈った。

バンギは、静かで人なつこくて、いいところだ。とてもこれが一国の首都とは思えないのどかさ。季候も良くて素晴らしい。

12月27日《クマさん》

朝、ザイール大使館にビザを取りに行く。買い物を済ませたあと、プールで水泳。夜は久しぶりにカラテ映画を見る。

同日

映画館が一軒あることにも驚いた。夕方、鑑賞会としゃれ込む。何と香港製のカラテ映画。

主人公は、例によってメチャクチャ強い。（ラブシーン）ウヒャー！　ケラケラケラ……（主人公危うし）キャーッ！　ブーブーブー……（主人公いい調子）ウォーッ！　パチパチパチ……セントラルアフリカはおおらかそのものである。

12月28日《クマさん》

朝7時頃起きる。VWの工場に、オイルチェンジをしにゆき、フェリーの切符を入手。イミグレにて出国用のスタンプをもらうため、パスポートを提出。週末だからということで30日（月）まで預かりということになった。

午後、ミッション（伝道教会）へいったところ、日本人青年・阿部勉（ヒッチハイカー）に会う。彼と共に、町でビールを飲み、その後、共に天ぷらの夕食を食う。サンタさん、下痢のため1日寝る。

12月29日《バストマン》

ゆっくり起床して、右後輪のタイヤを取り替えた。ミッションに情報を集めに行くが、様々な情報が飛び交い困ってしまう。昼食後、ホテルのプールへ。潜りが上達した。サンタさんはまた下痢。

▲左から２人目が阿部さん、右に、クマさん、サンタさん。

12月30日

朝からイミグレーションにつめていて、パスポートをもらおうとするも、くれない。12時のフェリーの出発までに間に合わせたかったが、結局パスポートはできなかった。バストマン・サンタさんがイミグレの職員を日本大使館に連れて行ったが、事は進展せず。待ちに待って、結局5時頃にパスポートを返してもらう。

今日も一日阿部氏と共に過ごし、夕食をとる。互いの健闘をたたえ、別れる。

12月31日《クマさん》

今日も一日、バンギで過ごしてしまった。朝のフェリーに乗れると思っていたが、いつまでたってもフェリーは来ない。あっちだこっちだと言っているうちに、一日が過ぎてしまう。

同日
正月休暇とかで、なかなかウバンギ河を渡ることができない。僕らは渡し場で麻雀をしながらジリジリするばかり。対岸はザイールだ。

同日《バストマン》
思えばこの1年間、数えきれないほどの、様々の泣き笑いの思い出が残った。長くまた短い1年だった。サウジの砂の中からジャングルの川沿いへ。これからも同じように、いろんなことが続きそうだ。

1月1日《バストマン》
年越しの麻雀をした。夜中にラーメンを作って食う。初日の出を見ながら朝までやり、日が高くなってから寝た。午後も麻雀。夜、水をくみに行ったら、バーで新年の踊りをしていた。

▲ウバンギ河を渡る渡し船。

状況の説明④　病気の脅威

バンギで出会った阿部勉氏は、4人とほぼ同じルートをとり、アルジェリア、ニジェール、ナイジェリアを通り、セントラルアフリカまで来ていた。亡くなった花岡実氏も、同様なルートを来たものと思われる。

彼らのようなヒッチハイカーを、最も苦しめたものは、水である。亡くなられた花岡氏の死因はチフスであった。チフスは、飲み水や食物中のチフス菌により腸が犯され、発病する。衛生状態の良くないアフリカ奥地の旅行では、コレラ・赤痢と並んで特に注意しなければいけない消化器系の病気だ。

実は、小町号の4人にも、健康の危機は常にあった。たびたび記載されていたように、4人とも下痢には悩まされ、とりわけサンタさんは何度もひどい下痢と腹痛に苦しめられた。ニジェールでは特に症状が重く、他の3人はサンタさんを心配して、一時はラゴスから英国行きの飛行機に乗せることまでも検討したのである。

▲バンギで正月を迎えた４人。

▲クマさん

▲バストマン

第6章 ザイール・ルワンダ・ウガンダ・ケニア

▲ルワンダにて、現地の若者たちとバストマン。

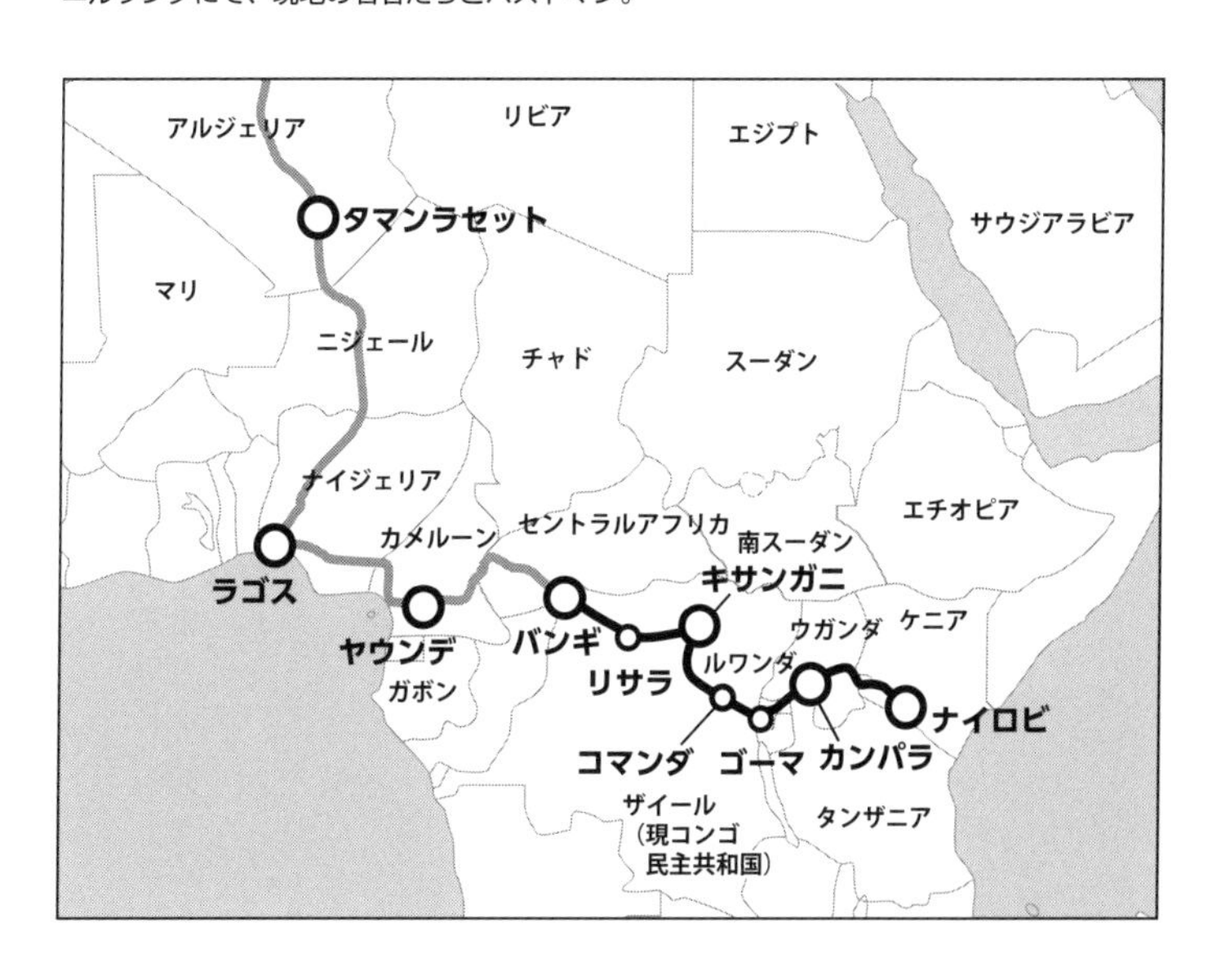

ザイール（現コンゴ民主共和国）入国

1月2日

午後2時30分、年末から待たされた、この年の最初の渡しに乗る。ザイールのゾンゴ（Zongo）に着く。

国境検問所の兄ちゃんが「お金を見せろ」と言うので渡したところ、数えながら――自分のポケットにドル紙幣を1枚突っ込みやがった。「この野郎！」と、お金を取り戻す。兄ちゃんの方は悪びれた様子もなく、高笑いだ。どうやら、ザイールでは〈カラテ〉も〈常識〉も通用せずと見た。

こんな話を小耳にはさんだ。さほど遠からぬ昔、ザイール（当時はコンゴ）の人々は、白人が持ち込んだパイナップルの缶詰に描かれている美人を指さし、かく問うたという。「この女の肉、入ってるあるか？」。これはおおらかなジョークだ。

もう一つ。これも、さほど遠からぬ昔、白人がアフリカ大陸にやって来て、初めて黒人を見て曰く「かなり進化している猿だ」。これは陰険なエゴイズムだ。

ともあれ、小町の顔に日本の国旗を張り、僕らは出発した。

ゾンゴを出てから50キロ地点にて泊。

1月3日《バストマン》

朝、リベンゲ（Libenge）で揚げパンを買い、川沿いで朝食。終日ジャングルの細道を走る。夕方ボゼーン（Bozene）に到着し、ミッションの脇に泊まる。道沿いには泊まれるような場所がなくて苦労する。

1月4日《クマさん》

一日約210キロを走って、ディオボ（Diobo）という村の学校に泊まった。一日走っていると、沿道の人々が手を振ってくる。「たばこをくれ」「お茶でも飲んでけ」といった感じ。

敵意の村

1月5日《バストマン》

5時45分に出発。道は狭いが平坦で、比較的良い道である。昼頃にリサラ（Lisala）に到着した。わりと大きな町だ。朝方、川で体をふいたり洗濯をしたりしたので、気分は良好。

同日

リサラからコンゴ河のフェリーに乗る予定だったが、他のツーリストの話によると、料金がとても高いとのこと。そこでとりあえず、ブンバ（Bumba）まで陸路で行くことにする。ということで、リサラを出発。

ところが、途中の村人たちが、あからさまな敵意を見せる。人々は家から飛び出し、拳を振り上げ、通り過ぎようとする僕らに罵声を浴びせかける。槍を振りかざして僕らに立ち向かおうとする人と、彼を必死に取り押さえ説得する老人。鶏がけたたましい鳴き声を立てながら小町の前を横切るので、スピードを上げることができない。洗濯女が石鹸水をぶっかけたもんで、小町の体は真っ白け。

「とんだ豹変ぶりだぜ」

「ツーリストが子供をハネたのかな。あるいは飼い犬でも」

「犬ぐらいでこんな大騒ぎするかよ」

「おまえは犬飼ったことないんだろう！　俺んちのは12年間生きてて、まあ大往生だったんだけど、そいつが朝、俺が起きるまで待ってたんだよなあ。あん時の虚ろな、それでいて崇高な眼差しは忘れられん。最後の力を振りしぼって尻尾を上げてよ。振るんだ。そして、だんだん下がっていって……お陀仏さ」

「老衰死ってのは、安楽死かな」

「だと思う。静かな顔して、静かに死んでったから」

「どうでもいいけど、何処まで続くのかな」

「村人同士のコミュニケーションが途切れる所までさ」

「ずっと前、ヤコペッティの『さらばアフリカ』っての観たんだけど、このあたりじゃないの？　60年代中期、民族運動真っ盛りって時、ミッションの尼さんが10数名殺されたって所は。スタンレービル（現在のキサンガニ）の西方数百キロといったら、このあたりだぜ」

「ヤバイなあ」

と、僕らの行く手前方の道路上に男が一人立っている。

「あいつ、石投げる気だぜ」

…………………

「投げなかったな」

「何かビックリしたような顔してたな」

「俺たちの顔、どちらかといえば黒人に近いもんな」


荒々しい風景の中を、照りつける太陽の下を、漆黒の闇の中を、僕らはひたすら逃げた。

ブンバの手前、20キロくらいのアルベルタ（Alberta）という町に近づく。

「何時？」

「8時少し前……もう大丈夫だろう」

「町だぜ。あそこにするか。疲れた……もうどうにでもなれだ」

幸いなるかな、この町は敵意のない町だった。30分後、僕らは村の少年少女たちと、だいたいこんな会話をしていた。

「ありがとうってのは？」

「マラン」

「そうかあ」

「ワッハハハハ……キャーッ！」

「何で笑うの？」

「コッチデハ、男ノアシコヲ、”ソウカア“トイウノ」

「じゃあ、日本の”そうかあ“に類する言葉、ある？」

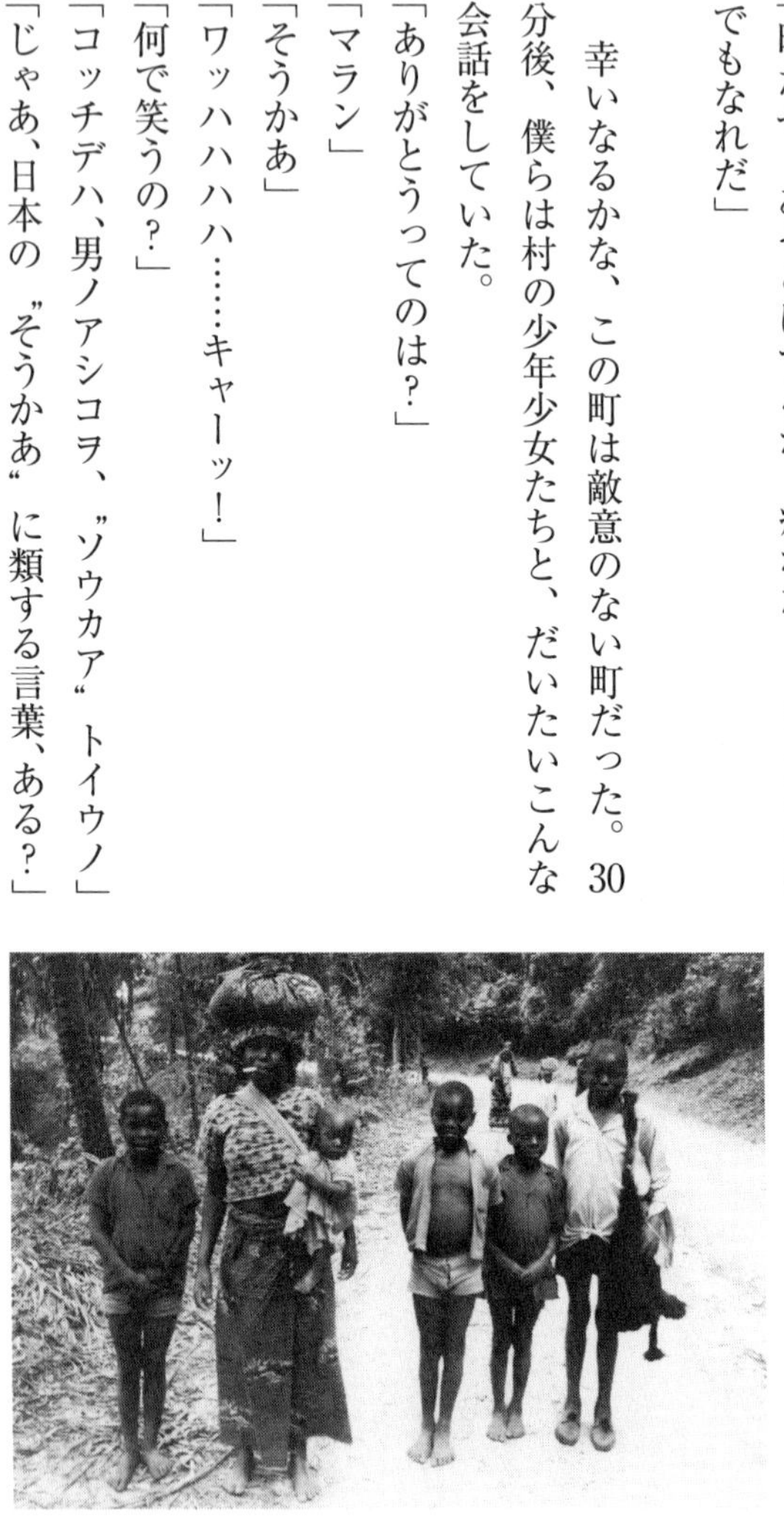

▲ザイールの子供たち。この道が幹線道路。

「アル！　タマタマ」

「日本ではね、男のアソコのことを〝タマタマ〟と言うの。ウヒヒヒヒ」

これで、まずはひと安心。しかしまあ、何と言うか、ヘビー級の一日ではあったことよ。

穴ぼこ道を行く

1月6日《バストマン》
6時出発。ザイールに入って初めての洗濯板の道を約25キロ走って、ブンバに到着。川沿いの美しい町である。さっそく船会社へ行って、料金を調べた。お金を両替しようと思って、バンクやホテル、中国人の所へ行ったが、全てダメ。仕方なく、川べりのホテルの庭でビールを飲みながら麻雀。夕方は、船会社の前に戻り、泊まる。あとからドイツとスイスの2台のVWとシトロエンが1台来て、一緒に泊まる。蚊が多くて、かゆい。

1月7日《クマさん》
朝、ドルを両替するためにホテルへ行き、110ドルをザイール（通貨の名称）に替えたが、船は車を乗せる余地がなく、道路を走ることにする。金が余ったので、50ドル分を再びドルに両替して出発。道ばたの空き地に泊まる。

同日《バストマン》

ブンバから135キロ、アケチ（Aketi）まで64キロ地点の空き地に車を止める。午後4時。周囲の風景は全くの夏。夕方は雷まで鳴って、ひどく蒸し暑い。久しぶりに早く停まって、ゆっくりする。

1月8日《バストマン》

早朝5時20分出発。一日中悪路。アケチからが特にひどくて、時速10キロ内外。雨期にできた穴ぼこがそのままなので、ひどいもんだ。

同日《クマさん》

途中の道は実に悪い道で、車から降りて水先案内をしなければ進めないほどだった。夕頃、デュリア（Dulia）から30キロ地点の小さな村につく。ここで、民家に泊めてもらう。たき火を囲んで、リンガラ語（現地語）の言葉を教わる。

1月9日《バストマン》

珍しく全員が5時20分起床。民家の全員と記念撮影をした後、出発。
8時頃ブータ（Buta）に到着。鉄道のある町である。

同日《クマさん》
ブータに着き、市場で買い物を済ませる。ブータからは比較的良い道で、時速30キロくらいで走れた。民家の前にて泊。昨夜習った、リンガラ語で話してみる。

同日《バストマン》
蚊もわりと少なく、珍しく過ごしやすい。蛍がたくさんいて、きれいだ。

1月10日《クマさん》
道は、一昨日より日増しに良くなり、午後2時頃に、キサンガニ（Kisangani）に着く。その夜は、川沿いのキャンプ場に泊まる。他のツーリストもたくさんいて、良いところだった。
（13日まで宿泊）

1月11日《バストマン》
朝8時に起床。斎藤氏のために病院へ行き、町の大きなマルシェで買い出し。

同日《クマさん》

午後、麻雀。ビールが安くてうまい。

1月12日《バストマン》

8時に起きて、女の子に、洗濯を全部で50マクータで頼み、乾くまで麻雀。夕方まで麻雀。アルジェ以来はじめての、にわか雨が降った。夜はビールを飲んで酔う。

1月13日《クマさん》

午前中、買い物を済ませる。サンタさんは、病院で狂犬病の注射。

昼過ぎにキサンガニを出発。スタンレー・フォール(Stanley Fall)まで行き、そこで泊まる。滝と言うには、あまりに小さくて、ただの急流のよう。

滝のそばの小屋にて泊。近所の人々が話しに来る。

1月14日《バストマン》

5時40分、スタンレー・フォール発。道は素晴らしく、291キロも走った。

同日《クマさん》

バフワセンド(Bafwasende)泊。レストランにて、現地料理(米と鳥)を食う。とてもうまく、ムードもあった。レストランのマダムの愛想が良く、帰るときも、カンテラを下げて送ってくれた。

ピグミーの村

1月15日《バストマン》

6時出発。時速45キロくらいの高速で突っ走り、8時30分には、80キロ離れたニアニア（NiaNia）を通過。一路、東へ進路を取る。午後、ピグミーのジャングルの中でサルの集団を見た。

同日《クマさん》

ピグミーの住む村に泊。「ダッテ」（リンガラ語）から「ジャンボ」（スワヒリ語）に、挨拶の言葉が変わる。

▲ピグミーの村で。左からバストマン、クマさん。右から３人目がサンタさん。

同日

僕の記憶の中には、一枚の写真がプリントされてある。時々、それを覗きみる。

僕は直立不動。口は真一文字。アゴを引き、眼はカメラをグッと見据えている。僕の隣には、森の住人ピグミーのおじさんが一人、僕同様に直立不動。腰巻以外は何も付けていない。見事な筋肉で飾られた肉体は均整がとれている。右手に猿の尾が通してある弓、左手に数本の矢を持った彼の姿は威厳そのものだ。そこいらが僕と異なる。背景は夕映えに染まる密林。赤茶けた大地に立つ二人だ。

その昔、ピグミーはアフリカ大陸の比較的住みやすい地域（たとえば平野部、あるいは高地）にて生活を営んでいた。が、緑のサハラが褐色のサハラとなり始めると共に移動してきた氏族や山岳民族に追われ、心優しく、戦いを好まないピグミーは密林の住人となったらしい。

今日の行程を終え、僕らは道路そばの広場に小町を停め、夕食の準備にとりかかる。付近に住んでいる人々がやって来る。行儀よく一列に並んで、僕らを見つめている。普通の体格をした人が、ピグミーが使用している小さな弓と矢を持っている。

空きびんを差し出し、それとの交換を申し出る。空きびんはいらない、と言う。それより、クマさんのシャツが欲しい、と言う。

物入れから新品を取り出し渡そうとするが、受け取らない。あくまでクマさんの着ているのがいいらしい。同じ品物なのに。ここいらが変わっている。植民地時代の後遺症かも。でも肝心のピグミーがいないではないか。ここに集まっている人たちは、ごく普通の体格をした大人たち。それに子供たち……、あれっ？　いた！

年齢不明。が、かなりな年だろう。顔がイカス。子供がそのまま大人になったような、しわは目立って多いが、何か素晴らしく無垢な、同時に柔らかな笑みを備えている。買いだ。表情をくずさず、ひたすら僕らを見つめている。僕は饒舌には強いが、寡黙には弱い。彼は全く口を開かない。いよいよシビレてしまう。

と、森の住人はクルリと後ろ向きになり、去り始めた。僕はどうしよう――。カメラだ！あわててカメラをひっつかみ、彼の後を追う。一方の手にカメラ、もう一方にタバコを一本持って、約5メートルの間隔を維持しつつ……しかし、何故か呼び止められない。去っていく彼の前方に密林が夕日を浴びて赤胴色に染まり、眼に痛い。彼の姿もまた、夕焼けの中に溶け込んでいく。結局、僕は立ち止まり、この光景を見つめるのみ。が、記憶のシャッターをパチリ。

夕食のパイナップルが実にうまかった。

1月16日《バストマン》

朝、コマンダ（Komanda）村に着く頃には周囲の景観は、山岳地帯に変わった。昼食の時、集まってきた人から、ワイシャツと交換に手作りのハープをもらった。道は良く、途中で逆方向に向かうフォードに会う。

同日《クマさん》

ブニア（Bunia）への道を途中で南に迂回し、オイシャ（Hoysha）のミッション（伝道教会）へ行き、久しぶりのシャワーを浴びた。

ミッションを出て走り始めたところ、クラッチのワイヤーが切れてしまい、しばし立ち往生。細くなったワイヤーのまま、次の町ベニ（Beni）まで走る。ベニ泊。夜、麻雀。

1月17日《クマさん》

午前中に修理工場でクラッチケーブルを溶接で直し、一路、ナイロビへ向けて走り始める。

ベニを出て10キロくらいの峠で昼食。非常に眺めの良い場所であった。ジャングルとも、これにてお別れだ。

今日は、赤道直下の村・ムジエネン（Musienene）の学校に泊。ここの子供たちは、今までのアフリカの子供たちの印象とは多少違っており、子供のかわいらしさがなく、生意気な感じがした。

同日《バストマン》

子供たちがうるさくて生意気で憎たらしい。イエメンで買って以来の中国製サンダルが彼らに盗られたようだ。

レオパードの瞳

1月18日（土）《クマさん》

午前中は非常に悪い道が続いたが、標高2143メートルの峠を過ぎると、比較的良い道になり、距離が稼げる。

そして午後4時頃、アルベール（Arbert）のナショナルパークに入った。山の中腹から見るサバンナの眺めは、実に素晴らしかった。これで本当にジャングルとお別れ。アフリカの最後の顔＝サバンナ・サファリが始まる。

同日

道は悪い。かなりの上り坂だ。山の中腹あたり、所々に村が点在している。海抜2143メートルの峠に着き、昼食。

大気はさわやか。むしろ寒いくらい。高原地帯は牧場となっており、ヨーロッパ的景色だ。空気が乾燥していたなあ。草いきれの匂いが強い。急坂を下り始める。谷間の向こうにチラチラと、そして徐々に明確に草原が見え始める。血の気がひき、気分が宙に浮く。広い！僕らは解放された。

ザイールの国立公園だ。鹿や野牛の群れが気ままに草を食みつつ漫歩している。縞馬の群れがいっせいに僕らの方へ顔を向け静止する。見事なシンメトリー。僕らは大変気分がいい。4人の「少年（?）ケニヤ」を乗せ、小町は砂煙をあげつつ、夕映えのサバンナを突っ走る。小町に並行して、これまた砂煙をあげながら、イボイノシシが疾走。猪突猛進とは至言だ。

――おまえはボニーか、クライドか。はたまたブッチか、サンダンスキッドか。

――いやいや、おいらはザイールのイボイノシシよ。

――ナットクー。

あたりは真っ暗になった。でも僕らは公園内のガタガタ道を走っている。道の両側の風景はどんなだろう。そう思うと、見ずじまいで通り過ぎるのが残念だ。

サンタさんが叫ぶ。「ストップ！」……！　レオパードだ。ゆっくりと、実にゆっくりと右手から道路を横切り、左手へ。小高い岩の頂上に立つ。ヘッドライトを浴びて、しなやかな肢体が黄金色に光る。漆黒のサバンナを背景に、琥珀色に輝くレオパードの瞳は野生の証だ。威嚇するように燃えている。それでいて遥かな眼差し――。

君は動物園に行ったことがあるだろう。君は檻の中に静止している、あるいは行きつ戻りつしている黒ヒョウの瞳を覗き見たことがあるだろう。彼（彼女）にとって人間は空気にも等しい。ひたすら遥かな空の一点を見据えている。

昼なお暗き密林の中。自然の定めし獲物への集中。一瞬の跳躍！　この跳躍こそ、野生のいのちだ。

僕は、彼と対峙する時、いつも彼の瞳の中に、失われゆく野生のノスタルジーと野生をつなぎとめんとする意志を見ていたものだが――。今、レオパードの瞳と黒ヒョウの瞳のデュエットだ。僕らは野生の洗礼をバッチリ受け、いよいよ少年ケニヤ。

余談だが、時として人間も遠い虚空を見ることがある。アントニオーニの映画『赤い砂漠』。モニカの呆けたような顔を思い出す。日本でいえば、さしずめ四日市のような無機物地帯に生息している彼女……徐々に彼女の心は砂漠化し、夢遊し始める。「この船に乗れば何処かに行けるのね」。彼女もまた、見えざる檻につながれたる〈黒ヒョウ〉。飢餓を癒やすサバンナが必要だ。さてさて、彼女にとってのサバンナとは——。

▲ゴーマの手前の坂道にて。クマさん。

もう一つ、余談だが、レオパードとの出会い以来、残念なことには野生の証に出くわさない。ケニアのある自然動物園に至っては言語道断。そこに生きている動物たちのテイタラクぶりは目に余るものがあった。ライオンなどは、都市動物園と同様、飼育係に頼りっぱなし。自力で獲物を捉えることができなくなってきている。最近話題になった映画の中で、写真を撮ろうとして車外に出たツーリストが、運悪くライオンに殺られるシーンがあったが、彼氏が外に出た気持ちはよくわかる。草原にベッタリと寝そべっているライオンたちを見ていると、「俺の方が強いゾ!」という気にさせられるから不思議である。

つらつら思うに、こんなのよりよっぽど野性的な動物が僕らの近くにいるぜ。ゴクアクヒドウな人間（ホモサピエンス）があまた生息するおどろおどろしきコンクリートジャングルの中、昼夜を分かたぬ楚歌を聞きながらも、生への盲目的な意志を貫かんとひたすら野生の炎を燃やし続けながら今日もまた、とある料理屋の勝手口にたたずみて輝くは二つの瞳。野良猫の不屈の魂。これぞ野生の証！

同日《バストマン》

今日は231キロも走って、ルチュル（Rutshuru）のガソリンスタンドで泊まる。

1月19日《クマさん》

ルチュルにはガソリンがなく、ウガンダの国境キソロ（Kisoro）へ行くのをあきらめ、ゴーマ（Goma）まで下る。15リットルで約70キロを走らねばならず、気を遣った。ゴーマには、昼前に着く。途中、ニヤラゴンゴ（Nyragongo）とカリシンビ（Karisimbi）の３０００～４０００メートル級の山が見える、景色の良い道を走る。

同日《バストマン》

ゴーマでガソリンを入れ、食糧を買い、菓子屋に入っている間に、小町のサイドミラーを盗られた。

同日《クマさん》

ルワンダへは、無事入国（一人3ドルのビザ代）。車の調子が悪く、ポイントを調整したが、良好でなく、これからの走行が気遣われた。仕方なく、ゴーマから約15キロの山中の坂の途中に泊。

同日

ルワンダに入る。急に、道行く人々の僕らを見つめる表情が厳しくなってきた。特に女性。素早く退散するに、しくはなし。

その晩、道路脇に車を停め、例によって麻雀。と、車に乗ったヨーロッパ人が近寄ってきて、ここは危険だから早く出た方がよいと言ってくれた。その後、今度は車に乗った現地人が運転席の窓を開けて、「おれはキャノンを持っているぞ」と、大声を出して去って行った。この瞬間、麻雀の世界が沈黙の世界と化した。その間30秒。バストマンが言った。

「ありゃ大砲じゃなくて、カメラのキャノンだよ」これでケリがついた。

ここまでくれば

1月20日《クマさん》

朝、車の調子が思わしくないので、再度点検。エアーフィルターのフラップが閉じていることに気づき、直す。しばらくして、今度は前輪の鉄の棒が折れたが、たいしたことはなさそう。

ウガンダの国境に到着。ビザがないので、どうなるか心配だったが、なんとか通ることができた。キソロのポリス泊。舗装道路まであと80キロ。

同日《バストマン》

7ヶ月ぶりに、無事にウガンダに入れたことで、ひと安心した。あとはもう、なんとか行かれそうだ。

1月21日《バストマン》

時差が1時間あるので、少し寝坊した。山岳地帯を走り、2200メートルの峠を越えてカバレ（Kabale）市に到着。ガソリンを満タンにして、久々の舗装路をぶっ飛ばす。

同日《クマさん》

最後のじゃり道を走り抜け、晴れて舗装道路に入る。カンパラ（Kampala）まで約400キロ。途中マサカ（Masaka）という町にてパンを買ったが、やはり東洋人（中国人・朝鮮人）に対する反感が多少感じられた。カンパラまで100キロ地点で泊。

1月22日《バストマン》

朝9時過ぎに、なつかしのカンパラに入る。まず、イミグレ（入国管理）の事務所に行ってビザをもらう。最初は100シリングなんて言われて驚いたけれど、結局、トランジットの3ドルですんだ。旅の途中で何度も出会ったスイスのパーティと話をする。彼らのすすめで、キャラバンサイトへ行く。車と人と全部で5シリング。安い。午後は麻雀をし、夜は遅くまで、健さんと水銀灯の下で将棋をした。

1月23日《バストマン》

朝10時頃に起きて、将棋。シャワー、洗濯をした。

ナイロビだ！　赤坂だ！

1月24日《バストマン》

朝、マーケットへ行ったが、物価が高いので、玉ねぎとバナナだけ買い、ガソリンを詰め、カンパラを出発。ジンジャ（Jinja）、トロロ（Tororo）からボーダーを出て、ケニアに入る。途中でサルを見る。そしてキリンがいる所の近くの道ばたに泊まる。このところ、体がダレて疲れるし、車も調子が悪く、オイルのウォーニングランプがつき、オーバーヒート気味。

同日

ケニアに入る。ここからナイロビまでは平坦な道のはずだ。運良くここまでたどり着いたものよ。

1月25日《バストマン》

昨夜の麻雀で、朝はのんびり。10時にナクル（Nakuru）に到着。ナショナルパークへ行き、ナクル湖のフラミンゴやペリカンを見た。夜は、ナイロビへの道ばたに寝て、麻雀。

1月26日

ナイロビに到着。シティパークのキャンプ場へ。

ここは、花々も木々も美しい爽やかな気候の高原都市だ。ただ現在、コレラが流行っているので、少し気になる。まずは小町にビールを振りかける。

赤坂小町

小町よ、よくぞここまで持ちこたえてくれた！　なんと言っても、貴君は1600cc

▲ナイロビのシティパークにて。赤坂小町号と４人。

の細身の上、年増。その上、満身創痍。にもかかわらず、大量の荷物と男4人を乗せて——。その気力たるや。

連想させられるのは、モロッコのメジナ（旧市街）で見たロバ。横っ腹に大きなドラム缶が2個。その上に男一人を乗せ、キイキイ悲鳴をあげながら、細い通路を歩いていたなあ。この旅を成功に導いてくれたのは、間違いなく貴方だ。仲間みなが認めるよ。

1月27日

あこがれの『赤坂』に予約をしに行く。しかし、僕らの薄汚れた格好を見て、女将に追い出されかかった。なんという無礼。お宅の「身内」が訪ねてきたんだぞ。気取りやがって。まあ、明日はもう少しましな格好で来ようってことで帰りがけると、なぜか引き戻された。で、予約ＯＫ。

1月28日《バストマン》

朝から、ＶＷの修理工場を探しに出かける。夜は、赤坂で宴会。

同日

冷や奴、すき焼き、しゃぶしゃぶ、刺身、ひじき、もちろん酒も。一人前20ドル。大満足。

1月29日《バストマン》
二日酔いで頭が痛い。

別れ

ここナイロビで、僕らは別れることになる。

バストマンは、友人と再会するため、飛行機でカイロへ。サンタさんは、ナイル源流からカイロまでの一人旅。ぼくは、船でインドへ。クマさんはバンギで知り合ってナイロビで再会した阿部君と、東京から来ていた気球チームの橋本君とで、小町ちゃんと共に船でインドへ、そして、最終的にはミュンヘンまで。

意外とあっさり、「じゃあな」でグッドバイ。人生とは出会いと別れ。今のぼくにはピッタリだ。それなのに、長旅による疲れのせいか、ビールの飲み過ぎのせいか、達成感というよりは、何やらすっきりしない。いぶかしげな気分だ。徒労だったのか。

この方程式は、自分自身で解くより他に道はない。

さあ、次はインドだ!

状況の説明⑤　『赤坂』

赤坂小町号は、ミュンヘンから数えれば1万6千キロ、アフリカ大陸1万3千キロの旅を終え、最終目的地のケニア・ナイロビに着いた。

この長旅のあいだの合い言葉だった『赤坂』での宴会だが、健さんも書いているように、彼らは歓迎されなかった。『赤坂』は、バストマンが前年のケニア滞在中に知った店で、日本の大使館員や商社マンなどの利用する高級料理店である。そこに、サハラ砂漠とジャングルを旅してきたワイルドな日本人のグループの出現である。

4人が店に予約に行った時、和服姿の女将の反応は冷たかった。彼らは、場違いな闖入者としか見えなかったようだ。しかし、この時、奥の板場にいた若い男性がその様子を見ていて、4人を救ってくれた。女将はだめだったが、板前さんは、理解してくれたのだ。

こうして、『赤坂』での宴会は無事に開かれ、祝杯は、極上のものとなった。

おわりに

4人の旅は、冒険とは異なる。

自分の好奇心を満足させるために、彼らはサハラを、そしてアフリカを選択した。そして、トカゲ肉を食べ、子供たちや大人たちと話し、ものをあげたりもらったり。そういうことを楽しんだ。これは、ゴールをひたすら目指す冒険ではない。

ただ、彼らの、自由な旅においても、「ゴールを目指すこと」と「旅を楽しむこと」との葛藤は常にあった。

4人の中で、ゴールを目指すことを常に考えていたのはバストマンで、旅を楽しむことを優先しようとしたのは、サンタさんだったようだ。バストマンはアフリカの経験者で、このプランの発案者でもある。皆を無事に帰らせたい、という思いもあっただろう。

何度も警察に拘束されたモロッコでは、バストマンは、「もうたくさんだ。一刻も早くこんな国から脱出したい」と考えた（健さんも同様）。しかしサンタさんは、「カスバ街道を見ていこうよ」と提案したのだ（カスバ街道とは、サハラの北の部分で、ベルベル人の城塞集落＝「カスバ」があった）。

また、カメルーンでは、下痢の真っ最中だったサンタさんが、「カメルーン山を見ていこうよ。ここまで来て見ていかないという手はないだろう」と発言（カメルーン山は4000メートルを超える単独峰で、活火山。しかも海に近いという、非常に珍しい山）。この時、バストマンは、これから先のルートにあるザイールの密林地帯を雨期（2～3月）の前に抜けないと、道路がぐちゃぐちゃになり走れなくなる、という心配をしていた。まさしく、「ゴール」と「旅の楽しみ」の葛藤である。

意見の対立は、他にもあったようである。しかし、喧嘩別れという最悪の結果は免れた。健さんによれば、「4人をまとめるのに役立ったのは麻雀」ということになる。が、バストマン・健さん・クマさんが、サンタさんの心を、同じ旅人として、理解していたことも大きかった、と私は考える。

本書には、サンタさんによる記述はないが、他の3人が、この旅を、サハラを、アフリカを、楽しんでいたことは、皆さんが読んでこられたように、まぎれもない事実である。そして、ごく当然のことのように、ゴールのナイロビから、4人は別々に、さらに新たな旅に歩を進める。彼らは、旅人であることを続けた。

彼らに共通するものがもしあるとすれば、それは本文の中で健さんが書いていた次の言葉に集約されるのかもしれない。

「答えはしごく簡単……そのためには、行けばよい。およそ幸福というものは……『行く』

という行為そのものなのだ。」

実は私（コウジ）も、彼らに触発され、約1ヶ月、東アフリカ諸国を一人で旅した。チームで気球の撮影の仕事を終えたあと、気ままに、ケニア・タンザニア・ウガンダを旅した。ルワンダに入国しようとしてできなかったりしたが、この旅は、私自身にとって、非常に意味のあるものになった。この1ヶ月の一人旅を通して、私は大人になった。自分を知り、自分の人生を進む自信と自由を手に入れたと感じている。

「旅」と「自由」は密接な関係にあり、「自由な旅」は人を楽しませ、人を育てる。

本書を読んで、自由な旅に出る人が一人でもいれば、私は嬉しい。

そしてもちろん、4人の旅人たちも。

よい旅を！

編集後記

「1974年の日本」について

1974年の日本は熱い国だった。『ジャパン アズ ナンバーワン』という本が、ハーバード大学の教授によって書かれ、日本の経済成長の秘密が海外で研究されたりしていた。

日本経済の好調さは1990年後半のバブル崩壊まで続いた。このころ、日本人は「エコノミック・アニマル」と呼ばれ、急に豊かになった日本人は海外でお金を使いまくった。そして、日本人旅行者の金遣いの荒さが、世界の話題となっていた。今の中国の人々の行動とよく似た行動を、日本人がとっていたのだ。

国が豊かになり、海外旅行の自由化が行われることは、国民に大きな贈り物をもたらす。日本国民も中国国民も、その贈り物を甘受しているのだと思う。自分の目で、世界を見てみたい、感じてみたいという欲求は強く、大きな楽しみをもたらす。

1970年代の日本では、第1次海外旅行ブームとも呼ばれる流行があり、海外旅行に対する熱気がすごかった。

そして、そんな中、観光旅行では飽き足らない若者は、長期間の旅に出ることとなった。

「自由」と「自由人」について

政治体制の面では、1972年に、沖縄返還が行われ、日本は、米国の管理する国から、ようやく、完全に近い自立を手に入れつつあった。戦後の米国の占領政策は、日本国憲法をはじめとして、日本の民主化を進めた。米国の指導による民主主義国家の建設である。

4人もほぼ同じ年代だが、私は戦後7年目に生まれ、戦後の民主主義教育を受けて育った。そして同時に、アメリカ文化の影響を大きく受けていた。テレビで見ていたホームドラマはアメリカの直輸入作品が多く、音楽も映画も、アメリカ製がほとんどであった。

民主主義の基本原理は、「自由」と「平等」。民主主義教育の中で、そして、アメリカ文化の奔流の中で、私はそのことを学んだ。

「平等」については理解できた。しかし、「自由」については、なぜか、腑に落ちないものを感じていた。言論の自由・信教の自由については理解できる。しかし、「自由」という言葉には、「自由気まま」とか「自分勝手」という概念も付随する。社会性との矛盾である。

現在の話になるが、マスクをみんなが付ける日本は、同調圧力の強めな国である。これは、日本人の「自由」に対する意識の弱さによるもの、なのではないか。

サンタさんなら、同調圧力に屈しないだろう。私は、彼の中に「自由人」を感じる。サンタさんは、自由であることを求めた。そして、強かった。自立していた。本文中で、サンタさんのことをヨーロッパの人が「リトル　ジャイアント」と呼んでいたという話があるが、彼の自立心の強さは、ヨーロッパの人々から見ても感じられたのだと思う。私はサンタさんにはなれないが、そのシンプルさと強さにはあこがれに近いものを感じている。

「1974年のアフリカ」について

4人の旅の後半、ナイジェリアからケニアに至る道では、現地の人々との交流の様子が多く描かれている。ここで彼らが感じたことの背景を少し書く。

彼らが訪れたナイジェリアは、16世紀から19世紀初頭まで続いた奴隷貿易の中心地のひとつであった。「奴隷海岸」という地名が、60年くらい前まで使われていたが、それは、ナイジェリアの西部から隣国のベナンとトーゴにまたがる地帯のことを示していた。黒人奴隷は、この奴隷海岸から南北アメリカなどに運ばれ、そこで労働力として働かされた。黒人奴隷狩りという、奴隷を集める行為が行われたが、強い黒人が弱い黒人を狩り、ヨーロッパ人に売り渡していたのだ。奴隷にされて売られ、南北アメリカに送られた黒人の数は、合計で、1000万人を超えるという。

この300年以上にわたる奴隷狩り・奴隷貿易の記憶が、ナイジェリア・カメルーン・セントラルアフリカ・ザイール・ルワンダ・ウガンダ・ケニアの人々の心の中に残っていることは、厳然たる事実だった。

奴隷貿易は、ヨーロッパとアフリカの間の負の歴史だが、ヨーロッパ諸国の影響は、アフリカの人々の役に立っている面もある。

一つは、4人がよく利用していたミッション（伝道教会）。これは、キリスト教が信者を広める＝伝道を目的とする教会であり、キリスト教の布教のために作られたものではあるが、現地の人々の幸福な暮らしを支えようとするものでもある。

そして、二つ目で非常に重要なことは、ヨーロッパなどの先進国による経済協力。アフリカ各国の経済を支え、近代化を進めるうえで重要なのは、それらの国々の協力である。このような関係により、ヨーロッパなどの先進国に対するアフリカの人々の感情は、大変複雑なものになっていると思われる。

さらに付け加えると、アフリカの中の17か国は1960年に独立を果たしている。4人が旅をした国々は、ほとんどが建国後およそ10年の若い国であったのだ。

最後に、今について
コロナウイルスのために、自由な海外旅行が全くできないこの時期に、こんなに自由な旅の記録本の編集作業をするというのも、不思議な因縁を感じる。4人の自由な旅の様子を皆さんに広く知っていただけるのは、非常に嬉しいことだ。

健さん、クマさん、バストマンさん、そしてサンタさん、貴重な機会をくださり、ありがとうございました。

２０２１年３月

《小町グループ（こまちぐるーぷ）》

菊岡　健（きくおか　けん）
1946年　愛知県生まれ

清田　浩義（きよた　ひろよし）
1952年　千葉県生まれ

堀内　正樹（ほりうち　まさき）
1952年　長野県生まれ

斎藤　完爾（さいとう　かんじ）
1942年　神奈川県生まれ　2012年没

サハラの旅　1974

2021年4月20日　初版第1刷発行

著　者　小町グループ
菊岡　健
清田浩義
堀内正樹

編　集　立原滉二　永須徹也
デザイン　デザインスタッフ ドンドン
発行者　中田典昭
発行所　東京図書出版
発行発売　株式会社 リフレ出版
〒113-0021　東京都文京区本駒込 3-10-4
電話 (03)3823-9171　FAX 0120-41-8080
印　刷　株式会社 ブレイン

ISBN978-4-86641-399-0 C0095
Printed in Japan 2021